D0588280

LA PERSONNE HUMAINE

Catalogage avant publication de la Bibliothèque nationale du Canada

St-Arnaud, Yves

La personne humaine : développement personnel et relations interpersonnelles
(Alter ego)

1. Psychologie appliquée. 2. Relations humaines. 3. Perception sociale.
4. Réalisation de soi. I. Titre II. Collection : Alter ego (Éditions de l'Homme).

BF636.S27 2004 155.2 C2004-941337-6

DISTRIBUTEURS EXCLUSIFS :

- Pour le Canada
  et les États-Unis :
  MESSAGERIES ADP*
  955, rue Amherst
  Montréal, Québec
  H2L 3K4
  Tél. : (514) 523-1182
  Télécopieur : (514) 939-0406
  * Filiale de Sogides ltée

- Pour la France et les autres pays :
  INTERFORUM
  Immeuble Paryseine, 3, Allée de la Seine
  94854 Ivry Cedex
  Tél. : 01 49 59 11 89/91
  Télécopieur : 01 49 59 11 96
  Commandes : Tél. : 02 38 32 71 00
  Télécopieur : 02 38 32 71 28

- Pour la Suisse :
  INTERFORUM SUISSE
  Case postale 69 - 1701 Fribourg - Suisse
  Tél. : (41-26) 460-80-60
  Télécopieur : (41-26) 460-80-68
  Internet : www.havas.ch
  Email : office@havas.ch
  DISTRIBUTION : OLF SA
  Z.I. 3, Corminbœuf
  Case postale 1061
  CH-1701 FRIBOURG
  Commandes : Tél. : (41-26) 467-53-33
  Télécopieur : (41-26) 467-54-66
  Email : commande@ofl.ch

- Pour la Belgique et le Luxembourg :
  INTERFORUM BENELUX
  Boulevard de l'Europe 117
  B-1301 Wavre
  Tél. : (010) 42-03-20
  Télécopieur : (010) 41-20-24
  http://www.vups.be
  Email : info@vups.be

Pour en savoir davantage sur nos publications,
visitez notre site : **www.edhomme.com**
Autres sites à visiter : www.edjour.com • www.edtypo.com
www.edvlb.com • www.edhexagone.com • www.edutilis.com

Dépôt légal : 3e trimestre 2004
Bibliothèque nationale du Québec

ISBN 2-7619-2006-6

Gouvernement du Québec – Programme de crédit d'impôt pour l'édition de livres – Gestion SODEC – www.sodec.gouv.qc.ca

L'Éditeur bénéficie du soutien de la Société de développement des entreprises culturelles du Québec pour son programme d'édition.

Conseil des Arts du Canada **Canada Council for the Arts**

Nous remercions le Conseil des Arts du Canada de l'aide accordée à notre programme de publication.

Nous reconnaissons l'aide financière du gouvernement du Canada par l'entremise du Programme d'aide au développement de l'industrie de l'édition (PADIÉ) pour nos activités d'édition.

YVES ST-ARNAUD

LA PERSONNE HUMAINE

DÉVELOPPEMENT PERSONNEL ET RELATIONS INTERPERSONNELLES

INTRODUCTION

Au cours des cent dernières années, des psychologues ont écrit des milliers de pages sur le thème de la personne humaine. Par cette documentation, le psychologue veut aider son lecteur, un lecteur tantôt profane, tantôt savant, à s'approprier les connaissances acquises sur l'expérience personnelle, les relations entre les personnes et les échanges continuels entre chaque personne et son environnement socioculturel. Contrairement au physicien, au mathématicien, au biologiste et à la plupart des hommes de science dont l'objet d'étude ou la méthode de recherche échappent au commun des mortels, le psychologue qui traite de la personne humaine n'a jamais devant lui un interlocuteur complètement ignorant sur le sujet qu'il aborde. Sa tâche pourrait en être facilitée, mais la diversité de l'expérience humaine de même que la complexité du sujet traité sont telles que c'est souvent l'inverse qui se produit. Le lecteur auquel s'adresse le psychologue est en contact étroit avec ce dont on lui parle. Il l'est depuis les dix, vingt, quarante ou soixante ans qu'il est conscient d'être une personne, un individu parmi d'autres, un être humain, à la fois semblable à tous les autres et différent de tous les autres. Sous ce dernier rapport, chaque lecteur est en quelque sorte un expert en la matière, et aucun homme de science ne pourra prétendre connaître son lecteur autant que ce dernier ne se connaît lui-même. En conséquence, les généralisations du psychologue, ses observations, ses théories seront soumises à la critique sévère de son lecteur. Pour intéressante qu'elle soit, cette critique risque d'entraver le processus d'abstraction nécessaire à toute démarche scientifique. Elle peut par exemple empêcher le lecteur de se dégager de ses particularités pour saisir les processus psychologiques plus généraux auxquels l'homme de science veut l'initier.

Un tel état de choses suscite deux types de réactions de la part des chercheurs qui traitent de la personne humaine. Les uns contournent la difficulté que pose le « lecteur expert » en créant un langage scientifique et une méthodologie dont seuls les initiés possèdent la clé. Ils exigent ainsi implicitement une démission du « lecteur expert » qui doit se laisser guider dans un labyrinthe scientifique qu'il ne connaît pas. En raison du langage employé et au regard des postulats qui sont énoncés, le lecteur perd le privilège de ses propres connaissances ; il doit mettre entre parenthèses son expérience personnelle pour se pencher sur un objet extérieur à lui-même. Cet objet est décrit, analysé par le psychologue à la façon de tout autre objet d'une démarche scientifique, que ce soit l'atome, les tissus organiques ou les diverses sociétés. La personne humaine devient ainsi une réalité scientifique qui se prête à toute la rigueur d'analyse de la tradition scientifique. Cependant, le lien entre cette « personne » et la « personne humaine » qu'est Karine ou Philippe n'est pas toujours aisé à percevoir. Dans le monde scientifique, on reconnaît cette difficulté : elle découle du principe que l'on ne peut faire la « science du particulier ». On s'en remet à la psychologie professionnelle pour établir les liens entre la théorie de la personne que l'on a élaborée et telle personne qui viendra consulter le psychologue.

D'autres psychologues réagissent d'une façon différente à la difficulté reliée à la connaissance que le lecteur a de lui-même. Plutôt que de créer un intermédiaire entre eux et leur interlocuteur, ils ten-

tent d'associer ce dernier à une démarche scientifique en accréditant l'expérience personnelle de chacun et en l'intégrant dans l'élaboration des théories scientifiques. Les modèles qu'ils présentent se veulent descriptifs de l'expérience telle qu'elle est vécue par chaque personne. La critique du lecteur n'est plus un obstacle à la science psychologique ; elle devient une critique valable des modèles présentés et une façon de faire évoluer la recherche scientifique. La personne n'est plus étudiée comme un objet extérieur à soi, mais comme une réalité quotidienne qui est soi-même. Cette fois, ce n'est plus le lecteur, mais le psychologue qui perd son privilège de savant pour devenir un simple guide dans l'exploration que chaque personne peut faire de son monde subjectif. Cette approche caractérise un courant de pensée qui a vu le jour dans les années soixante et s'est défini comme une troisième force en psychologie (Goble, 1970 ; Maslow, 1972), en rupture avec deux traditions déjà bien établies : le behaviorisme et la psychanalyse.

La branche de la psychologie qui traite de la personne est apparue dans un climat d'opposition farouche entre ces trois grands courants que sont le behaviorisme, la psychanalyse et cette troisième force. Mais la diversité n'en était qu'à ses débuts. Les trois courants ont évolué et ont donné naissance à des centaines de modèles et de théories. La troisième force elle-même a pris toutes sortes d'appellations introduisant autant de nuances : psychologie humaniste, psychologie existentielle, psychologie holistique, psychologie expérientielle, psychologie transpersonnelle, psychologie phénoménologique ou perceptuelle, etc. Progressivement, les querelles d'écoles ont fait place aux tentatives de rapprochement (Lecomte et Castonguay, 1987) et aux approches dites intégratives (Norcross et Goldfried, 1998). Malgré les espoirs de certains d'en arriver à une synthèse, on ne peut se soustraire aujourd'hui à la nécessité d'un choix théorique et méthodologique.

Cet ouvrage s'inscrit dans le courant de la psychologie perceptuelle, qui fait partie de la troisième force des années soixante. Il intègre cependant les particularités qui ont servi de fondement au behaviorisme et à la psychanalyse : le comportement observable résultat de l'apprentissage et les dynamismes inconscients à la source de la motivation humaine. Ce modèle a fait l'objet d'une première édition, en 1974. Il s'est précisé, intégrant de plus en plus d'éléments, comme en témoignent quatre livres techniques qui ont suivi (St-Arnaud, 1982, 1983, 1996, 2001). Il reste cependant d'actualité, et cette deuxième édition mise à jour conserve la forme originale. Conviant le lecteur à une démarche systématique, nous voulons l'aider à mieux comprendre la personne humaine dans ce qu'elle a de général, tout en lui donnant les outils pour lui permettre de reconnaître les particularités de sa propre personne, afin qu'il puisse unifier, à partir de son expérience personnelle, les connaissances qu'il a déjà sur le sujet.

Le premier chapitre présente un modèle descriptif de la personne, tandis que le deuxième explicite les postulats de la psychologie perceptuelle. Les chapitres III et IV traitent respectivement de la motivation et des conditions de croissance de la personne ; les quatre chapitres suivants présentent un modèle descriptif de la relation interpersonnelle et une conception des relations humaines dans la vie quotidienne. Les deux derniers chapitres abordent le phénomène du changement personnel et l'approche dite « centrée sur la personne ».

CHAPITRE I

MODÈLE DESCRIPTIF DE LA PERSONNE

Entreprendre l'étude scientifique d'une réalité, c'est en quelque sorte identifier correctement un certain nombre de données précises, avec l'intention de les organiser de façon systématique pour mieux les comprendre et déterminer les relations qu'elles ont les unes avec les autres. Les données qui se rapportent à l'étude de la personne humaine sont tellement nombreuses et variées qu'on risque de s'y perdre si l'on se contente d'une collecte sans ordre, au hasard des circonstances. Ce chapitre présente un instrument pour la collecte des données pertinentes pour l'étude de la personne humaine. Cet instrument prend la forme d'un modèle descriptif de la personne.

Le modèle reproduit dans la figure I est constitué d'un ensemble de cercles concentriques qui représentent les principales dimensions de la personne. L'emploi du terme « dimension » de préférence aux termes « élément », « partie » ou « région » n'est pas le fait du hasard. Il découle d'une option méthodologique en vertu de laquelle l'individu est considéré comme un tout. Les cercles du modèle de la figure I prennent une signification importante dans cette perspective : ils permettent de recueillir des données psychologiques concernant l'individu dans son ensemble. Toutes les dimensions sont simultanément présentes à chaque instant de la vie d'une personne adulte. Selon ce modèle, la description de la personne s'articule autour de cinq dimensions : le comportement, l'énergie biologique, les processus inconscients, le champ perceptuel et le soi. Les bases scientifiques de ce modèle et les questions méthodologiques ont fait l'objet d'ouvrages antérieurs (St-Arnaud, 1979, 1982, 1996).

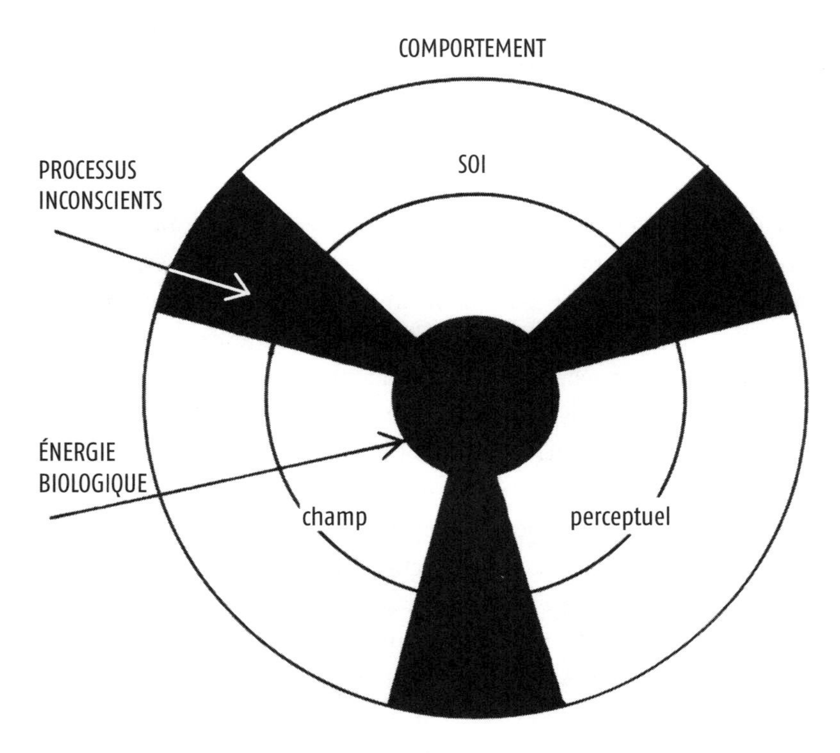

FIG. 1
Modèle descriptif de la personne

Le comportement

Le comportement consiste dans l'ensemble des réactions de la personne objectivement observables de l'extérieur. Autrement dit, le comportement correspond à tout ce qui peut être perçu par un observateur ou enregistré par un instrument quelconque. Il peut être verbal ou non verbal. Il est verbal lorsqu'on utilise des mots et des phrases pour s'exprimer. Il est non verbal lorsqu'on transmet de l'information sans avoir recours au langage parlé ou écrit : les sons, les gestes, les mimiques, les tics nerveux, les sourires, l'expression des yeux, la position du corps, l'apparence physique, l'odeur, la texture de la peau, les ondes électriques émises par le système nerveux, la sueur, la tension musculaire, les pulsations cardiaques, etc., relèvent du comportement non verbal.

La notion de comportement est l'une des plus utilisées en psychologie. La psychologie elle-même se présente souvent comme une science du comportement. C'est son caractère objectif et le fait qu'il est directement accessible à l'observation qui font du comportement humain un objet privilégié de la recherche scientifique. Le behaviorisme des premières années proposait même de bannir du vocabulaire de la psychologie tout ce qui n'est pas directement observable.

Selon les fondateurs de l'approche behavioriste (Watson, 1926 ; Skinner, 1972), le cercle périphérique du modèle de la figure I était le seul qui convenait à leur option méthodologique. Même le terme « personne humaine » était suspect. On préférait s'en tenir à la notion d'organisme sans se préoccuper des composantes subjectives de cet organisme et encore moins de ses motivations inconscientes. On y traitait l'être humain comme une espèce du règne animal, plus évoluée et plus complexe que les autres, mais fondamentalement semblable aux autres mammifères. Le comportement était essentiellement conçu comme une réponse aux stimuli de l'environnement, le résultat final d'une chaîne de conditionnements dont le psychologue behavioriste se proposait de découvrir les lois. C'était essentiellement une théorie de l'apprentissage. Depuis, on a introduit les autres dimensions dans ce qu'on appelle maintenant la psychologie cognitive-comportementale. Dans un livre où ils retracent l'évolution de cette approche, Doré et Mercier expliquent :

> Les progrès des 30 dernières années en psychologie cognitive humaine et en psychologie comparée ont graduellement amené cette discipline [l'apprentissage] à redéfinir son champ d'étude et à élargir sa perspective. Elle a dû, en effet, pousser plus loin son analyse des processus sous-jacents à l'acquisition et à la modification des comportements, et s'interroger sur la nature, l'origine et la dynamique des connaissances que requiert l'adaptation d'un organisme à son environnement physique et social. Aujourd'hui, l'étude des fondements de l'apprentissage s'inscrit dans un cadre empirique et théorique plus large, celui de la cognition. (Doré et Mercier, 1992, p. VII.)

Selon la perspective de la psychologie perceptuelle, le comportement demeure une dimension importante de la personne et, en vertu de l'approche globale qu'elle adopte, tout comportement humain, si banal soit-il, engage la personne dans son intégralité. À la différence du behaviorisme des premières années, la psychologie perceptuelle considère le comportement comme l'expression ou l'aboutissement de *processus psychologiques* qu'il est possible d'identifier et de soumettre à l'étude scientifique. C'est pourquoi on accrédite et on recueille comme faits psychologiques les phénomènes subjectifs dont témoigne le comportement humain ; de là un modèle de la personne qui propose une grille d'observation de ce qui se passe au-delà du cercle périphérique (le comportement).

L'énergie biologique

La personne humaine est considérée comme un organisme, c'est-à-dire un tout organisé. Sur le plan physique, on peut identifier des parties, ou des organes spécifiques: le cœur, le cerveau, les poumons, des neurones, des muscles, etc. Ces parties ou organes sont en relation les uns avec les autres et constituent un ensemble vivant: l'organisme. Dès que la troisième force a fait son apparition en psychologie, on a élargi cette définition de l'organisme pour englober l'« ensemble des fonctions constitutives de l'homme » (Rogers et Kinget, 1973). Le concept d'énergie est utilisé dans le modèle de la personne pour désigner « ce que possède l'organisme humain qui le rend capable de produire un comportement ». L'énergie de l'organisme – l'expression « énergie biologique » sera employée désormais – est avant tout une énergie biochimique provenant de la transformation de matières – oxygène et aliments – absorbées par l'organisme. Elle prend aussi la forme d'une énergie bioélectrique dans le système nerveux qui veille au maintien de la vie et au développement de la personne (pour une analyse du concept d'énergie en psychologie, voir St-Arnaud, 1979).

Comment cette énergie est mobilisée et transformée en comportements et quel est le lien entre cette énergie et la conscience psychologique, voilà des questions fondamentales pour le psychologue. Des théories variées et contradictoires sont construites pour rendre compte de ce phénomène. Des discussions interminables opposent les représentants des différentes disciplines des sciences humaines: les uns parlent de transformation de l'énergie chimique en énergie psychique ou spirituelle; ils cherchent alors à établir les lois qui président à l'utilisation de cette énergie par la personne. Les autres rejettent la notion même d'énergie psychique et l'attitude dite « mentaliste » et « non scientifique » de ceux qui ont recours à de tels concepts. Cette querelle interminable date des débuts de la psychologie scientifique et professionnelle : elle a été, par exemple, à l'origine de l'opposition entre la psychanalyse et le behaviorisme. La première école soutient, depuis les découvertes de Freud, l'existence d'une énergie psychique à l'intérieur de la personne, énergie qui prend la forme d'impulsion ou d'instinct. Le behaviorisme, pour sa part, refuse de voir dans le comportement la manifestation d'une énergie psychique quelconque ; il se contente de postuler l'existence d'une énergie biologique dont la transformation en comportements spécifiques est le résultat d'un conditionnement extérieur à l'organisme.

Le modèle de la figure I reconnaît la présence, à l'intérieur de la personne humaine, d'une énergie biologique. Qu'on la considère comme chimique, bioélectrique ou psychique, elle est une dimension dont il faut tenir compte pour comprendre adéquatement la personne. C'est sur cette dimension en particulier que repose l'étude de la motivation, thème important de la psychologie. La représentation schématique de la figure I comporte un noyau opaque pour signifier que la nature de l'énergie biologique échappe au champ de la conscience de la personne. Nous pouvons être conscients qu'une énergie agit en nous, grâce à ses manifestations dans le champ de la conscience, mais, dans le fonctionnement quotidien, cette énergie est une donnée inconsciente. Le modèle la reconnaît comme telle.

Les processus inconscients

En tenant compte de la dimension que constitue l'énergie biologique, le modèle intègre aussi tous les processus inconscients de la personne humaine. Que l'on soit d'accord ou non avec les théories freudiennes concernant l'énergie psychique, on ne peut ignorer le fait qu'un individu est conscient d'une partie seulement de tout ce qui se passe à l'intérieur de lui-même. Sur le plan biologique, par exemple, nous ne cessons de découvrir des processus, tous plus complexes les uns que les autres, qui nous permettent de vivre, ou qui nous empêchent de bien vivre lorsque nous sommes malades. Même si nous pouvons percevoir les manifestations conscientes de ces processus (malaises, tensions, anxiété, etc.), nous savons, grâce aux recherches scientifiques, que leur subtilité et leur complexité nous échappent fondamentalement (voir Varela, Thompson et Rosch, 1993 ; Cambier et Verestichel, 1998). Bien que de tels processus se déroulent en nous à notre insu, ils ont pourtant un effet déterminant sur notre comportement. Ils influent aussi bien sur les processus psychologiques que sur les mécanismes biologiques de la vie. Le modèle utilisé ici reconnaît donc, au-delà ou en deçà du champ de la conscience, tous ces processus inconscients qui interviennent dans la transformation en comportements de l'énergie biologique. C'est pourquoi, dans la figure I, le noyau du modèle n'est pas fermé : les zones opaques, qui le relient au cercle périphérique du comportement, représentent les processus biologiques et psychologiques grâce auxquels l'énergie biologique est transformée en comportements observables.

Le champ perceptuel

L'espace compris entre le cercle périphérique et les parties opaques du modèle de la figure I représente la dimension de la personne humaine privilégiée dans ce modèle : le champ perceptuel, qu'on appelle aussi le champ de la conscience. Il comprend l'ensemble des processus conscients par lesquels l'énergie biologique est transformée en comportements. Même si le modèle intègre les processus inconscients autonomes, il postule que l'expérience vécue consciemment est un élément clé pour comprendre le maintien et le développement de chaque personne. En conséquence, le champ perceptuel, au même titre que le comportement, l'énergie biologique ou les processus inconscients, est une dimension incontournable de la personne humaine. Même si des processus agissent à l'insu de la personne, celle-ci demeure le maître d'œuvre de son propre développement. Le psychologue perceptuel rejette la position selon laquelle ce qui se passe dans le champ de la conscience est un simple épiphénomène, une manifestation sans conséquence des processus inconscients biochimiques ou psychologiques. Il affirme au contraire que les phénomènes de la conscience interviennent fortement dans le développement de la personne humaine, en particulier dans les choix que chacun fait tout au long de sa vie.

Le champ perceptuel est cet espace intérieur où se manifeste la représentation que l'on se fait des objets extérieurs et de soi-même, c'est-à-dire la perception. Le terme « perception » met en évidence le rôle actif de la personne qui donne une signification aux données saisies par les sens.

Le champ perceptuel se rapporte ainsi à l'ensemble des perceptions d'un individu ; ce terme est synonyme de conscience psychologique. De façon plus globale, on peut faire référence à cette dimension de la personne en parlant de la subjectivité d'un individu ou de son « monde intérieur ». En bref, c'est tout ce qui permet à un individu de prononcer le mot « je » ; chacun y fait référence lorsqu'il utilise des expressions telles que : je pense, je sens, je crois, je suis, j'ai l'impression, j'éprouve, j'ai le sentiment, je ressens, je veux, je préfère, je choisis, etc.

La méthodologie propre à la psychologie perceptuelle n'a cessé de se raffiner, mais elle n'a jamais rompu avec ses origines. Dans un traité classique de psychologie perceptuelle, Combs et Snygg (1959) soulignent que l'on peut observer le comportement humain de deux points de vue, ou selon deux cadres de référence : celui d'un observateur extérieur et celui de la personne elle-même. Le premier est un cadre de référence dit « objectif » ou « externe ». Le second est un cadre de référence dit « perceptuel », « personnel » ou « phénoménal ». C'est ce dernier qu'adopte la psychologie perceptuelle. Elle se donne pour tâche de recueillir comme données scientifiques le contenu de la conscience humaine pour en dégager les constantes et les lois de l'agir humain. C'est dire que le psychologue perceptuel associe à sa recherche tous les individus avec lesquels il travaille et que ses hypothèses sont toujours soumises à la vérification « expérientielle » de ses interlocuteurs.

En définitive, que le psychologue fasse porter sa recherche sur la subjectivité de la personne, sur son comportement ou sur ses dynamismes inconscients, il est finalement confronté au champ perceptuel de son sujet lorsqu'il agit professionnellement auprès d'une personne concrète. Ce qui caractérise la psychologie perceptuelle, sa méthodologie, c'est de privilégier comme données scientifiques celles qu'elle peut recueillir et vérifier dans le champ perceptuel.

On s'est beaucoup interrogé, dans les milieux universitaires, sur la possibilité d'une science du subjectif. L'interrogation a même pris l'ampleur d'une querelle d'écoles dans plusieurs cas. Une discussion classique à ce sujet est rapportée par Wann (1964) : elle a lieu au cours d'un symposium où Rogers, un des piliers de l'approche perceptuelle, et Skinner, le champion de l'approche behavioriste, débattent leurs conceptions respectives de la science. Rogers, pour sa part, explique différents types de démarche scientifique, dont celui qu'il privilégie, le *subjective knowing*. Cette notion est au centre d'une nouvelle épistémologie de l'action qui, à la fin du XXe siècle, a relancé avec une nouvelle vigueur les approches perceptuelles (voir Schön, 1994) en innovant sur le plan méthodologique (voir Argyris, 1980). Quoi qu'il en soit de ces discussions, l'approche perceptuelle est effectivement adoptée par un nombre croissant de psychologues et le temps semble révolu où ces derniers se sentaient obligés de se justifier. La situation a bien évolué au cours des cinquante dernières années. La compétition est dépassée et l'on respecte les choix méthodologiques de chacun, surtout dans le domaine de l'intervention psychologique (voir Norcross et Goldfried, 1998). Ce qu'on demande en retour, c'est de bien préciser les choix que l'on fait. Les chercheurs concentrent désormais leur énergie sur la compréhension de la personne humaine, sans se laisser distraire par les querelles d'écoles.

Dans le modèle de la personne utilisé ici, les sections comprises entre le cercle périphérique et les zones opaques représentent donc le champ perceptuel de l'individu. Sans se laisser obnubiler par les processus inconscients qu'il reconnaît à l'intérieur de la personne, le psychologue perceptuel essaie de codifier les phénomènes observés et d'en dégager des lois de fonctionnement de la personne humaine. Cela ne peut se faire sans un minimum de postulats méthodologiques, qui seront examinés au chapitre II.

Il peut être utile de préciser ici la nature des phénomènes psychologiques et le type de données qui intéressent le psychologue perceptuel. Le champ perceptuel comprend les données suivantes : les émotions, les sentiments, la pensée, le raisonnement, l'intelligence, les attitudes, les valeurs, la motivation et, d'une manière générale, tout ce que peut cerner le vocabulaire employé pour parler du monde subjectif d'une personne humaine. Le terme « expérience » servira à désigner l'ensemble de ces données. Des qualificatifs préciseront la nature de l'expérience dans les chapitres qui traitent de l'expérience d'aimer et d'être aimé, de l'expérience de produire et de l'expérience de comprendre.

Le champ perceptuel n'est pas envisagé cependant, pas plus que les autres dimensions déjà définies, comme un élément statique qui en ferait une sorte de réservoir ou un lieu des émotions, des pensées, etc. C'est une limite du modèle que de représenter dans un schéma les réalités qui sont essentiellement dynamiques. Il est par conséquent important de dépasser l'image apparente d'un lieu physique pour respecter l'approche globale du modèle, tel qu'il a été décrit au début de ce chapitre. C'est d'ailleurs pour faciliter une telle compréhension que la troisième dimension du modèle est désignée par la notion de champ. Combs et Snygg (1959) soulignaient que la notion de champ était nécessaire parce que la plupart des données qui intéressent l'homme de science ne peuvent être considérées comme des « choses » ; on ne peut les étudier qu'en relation les unes avec les autres. Plusieurs des phénomènes observés devront être analysés sans que l'on puisse déterminer clairement les liens de cause à effet. La notion de champ perceptuel est donc utilisée pour tenir compte des interactions entre les données de la conscience. Elle est compatible avec la notion de système que l'on préfère dans les écrits contemporains (voir St-Arnaud, 1979). Les sciences de la complexité (Morin, 1990) et l'influence des théories du chaos en psychologie (Masterpasqua et Perna, 1997) sont venues confirmer la pertinence de cette approche.

Notons aussi que le champ perceptuel englobe l'ensemble des phénomènes et des expériences vécus par une personne. Cela ne veut pas dire, cependant, que tous ces phénomènes sont simultanément présents dans le champ perceptuel. C'est d'ailleurs une des caractéristiques de l'être humain que sa capacité de diriger les processus de sa conscience, un peu à la façon d'un projecteur intérieur qui balaierait le champ de la conscience. Je peux, au moment présent, choisir de devenir conscient de telle ou telle partie de mon corps: je dirige mon attention vers mon pied droit qui repose sur le sol et dont j'ai une sensation interne. Je peux aussi éveiller telle émotion ou tel sentiment, ou ramener au foyer de la conscience un problème donné sur lequel j'ai déjà longuement réfléchi. Je n'ai pas un pouvoir absolu sur ce balayage que je fais à l'intérieur de mon champ perceptuel, mais je le contrôle jusqu'à un certain point. Un des éléments qui limitent cette direction consciente du champ perceptuel est l'action continuelle de l'énergie biologique et du monde extérieur qui peuvent solliciter, voire mobiliser totalement, le champ de la conscience. Chacun sait qu'il est difficile de se distraire d'une pensée ou d'une douleur qui prend toute la place. En plus des dynamismes plus ou moins conscients qui orientent le champ perceptuel, il faut aussi mentionner la mémoire. Dans le champ perceptuel, la mémoire comprend tous les phénomènes qui ne sont pas immédiatement au foyer de la conscience d'une personne, mais qui peuvent y être ramenés, à volonté ou encore par une influence externe. La mémoire de l'organisme inclut aussi les événements qui ont laissé des traces dans le développement d'une personne à son insu.

Le soi

Le dernier élément du modèle de la figure 1 est représenté par le cercle intermédiaire et est désigné par le terme *soi,* traduction de l'expression *self* utilisée par les auteurs américains. La notion de soi permet de distinguer, à l'intérieur du champ perceptuel, deux grandes catégories de perceptions: les perceptions qui ont pour objet l'environnement et celles qui ont pour objet l'organisme lui-même. Le soi, ou image de soi, est donc l'ensemble des perceptions qu'un individu a de lui-même. Ces perceptions peuvent correspondre ou non à la réalité perçue par un observateur extérieur. La représentation graphique, par le cercle intermédiaire (figure I), de l'ensemble de ces perceptions ne préjuge pas pour l'instant du degré d'accord entre ces perceptions et ce qu'on appelle la réalité. Cette question de l'accord sera abordée dans le chapitre IV.

La notion de *self* est employée depuis très longtemps en psychologie. Dans une revue de la littérature sur le *concept de soi*, L'Écuyer (1994) a dégagé les constantes et les divergences théoriques que l'on trouve dans les publications scientifiques à ce sujet. Retenons que le soi est une structure qui permet à chacun de s'identifier comme une personne unique différente de toutes les autres sous certains aspects, en particulier par son histoire personnelle.

CHAPITRE II

LES POSTULATS DE LA PSYCHOLOGIE PERCEPTUELLE

Le modèle présenté au premier chapitre a permis d'identifier trois approches classiques dans l'étude de la personne humaine: la méthode dite behavioriste, qui aborde la personne sous l'angle du comportement, conçu comme le résultat de conditionnements extérieurs; la méthode psychanalytique, qui s'intéresse principalement à la dimension énergétique de la personne et aux processus inconscients; la méthode perceptuelle, qui est axée sur le champ perceptuel et le soi. Chacune de ces approches repose sur des choix théoriques et méthodologiques. L'objet de ce chapitre est d'expliciter deux postulats de la psychologie perceptuelle: le premier concerne la façon de concevoir l'action de l'énergie biologique à l'intérieur de la personne; le second a trait à la perspective sous laquelle le psychologue perceptuel étudie la personne.

La tendance à l'actualisation

La psychologie perceptuelle, de par le choix qu'elle fait, se concentre sur les phénomènes de la conscience. Elle n'élabore aucune théorie spécifique sur la nature de l'énergie biologique. Il est difficile, cependant, de parler de la personne humaine sans prendre position sur cette dimension de la personne. Le modèle reconnaît déjà la présence d'une telle énergie, ainsi que les processus inconscients par lesquels cette énergie est transformée en comportements observables, mais cela n'est pas suffisant. Avant d'entreprendre la collecte des données perceptuelles, le psychologue a besoin d'une clé d'interprétation lui permettant de comprendre les manifestations de cette énergie dans le champ perceptuel. Cette clé d'interprétation est fournie par le postulat d'une tendance à l'actualisation.

La notion de « tendance à l'actualisation » a été popularisée dans la littérature psychologique par un des représentants les plus connus de la troisième force : Carl Rogers. Il la définissait comme suit au début de sa carrière : « Tout organisme est animé d'une tendance inhérente à développer toutes ses potentialités et à les développer de manière à favoriser sa conservation et son enrichissement. » (Rogers et Kinget, 1973, p. 172.) Révolutionnaire à l'époque, cette notion a tenu la route et fait partie du vocabulaire contemporain (Bozarth et Brodley, 1991 ; St-Arnaud, 1996 ; Duncan et Miller, 2000). Rogers lui-même, à la fin de sa carrière, réaffirmait la pertinence de ce postulat :

> Je réaffirme donc, avec peut-être plus de force encore que lorsque j'ai avancé cette idée pour la première fois, ma conviction qu'il y a dans l'organisme humain une source d'énergie directionnelle ; que cela correspond à une fonction digne de confiance, propre à l'organisme tout entier plutôt qu'à une partie de celui-ci ; et qu'elle est peut-être la mieux représentée comme une tendance vers l'accomplissement, vers la réalisation, non seulement vers la préservation mais aussi vers l'épanouissement de l'organisme. (Rogers, 1979, p. 195.)

Dans cette façon de concevoir l'énergie biologique, Rogers, comme la plupart de ses contemporains de la troisième force, était lui-même redevable à Goldstein (1951), un des premiers à avoir postulé une tendance à l'actualisation dans l'organisme humain. Un tel postulat suppose une prise de position qui ne va pas de soi. Elle est refusée par le behaviorisme classique selon lequel les facteurs majeurs qui structurent la personne humaine sont les facteurs environnementaux. Celui qui postule une tendance à l'actualisation conçoit la personne comme un agent dont l'énergie biologique est dirigée spontanément, de façon innée, vers l'actualisation de la personne. Pour juger de la pertinence de cette conception, il faut comprendre ce qu'est l'actualisation et comment elle intervient dans le développement de la personne ; il faut aussi tenir compte des manifestations concrètes de non-actualisation que nous avons sous les yeux quotidiennement. Néanmoins, en postulant une tendance à l'actualisation, le psychologue perceptuel choisit une clé d'interprétation qui orientera sa démarche. Il est important de souligner ici qu'il s'agit d'un choix. À la différence d'une hypothèse, qui sera éliminée ou retenue à la suite d'une expérimentation, le postulat ne se prête pas à la démonstration scientifique. Postuler une tendance à l'actualisation, c'est donc choisir une façon d'envisager l'énergie biologique. Est-ce un choix meilleur qu'un autre ? Est-ce un choix valable ? Qu'est-ce qui motive un tel choix ? Quelles en sont les conséquences ? Voilà autant de questions qui se posent maintenant.

À la première question – est-ce un choix meilleur qu'un autre ? – aucune réponse ne sera jamais entièrement satisfaisante. Si quelqu'un arrivait à démontrer que c'est le meilleur choix possible, on ne parlerait plus de postulat. Cette proposition serait de l'ordre de l'évidence et rallierait tous les chercheurs. Or, d'une part, nous ne disposons d'aucune méthode d'observation directe de l'effet de cette énergie biologique sur le développement de la personne ; d'autre part, les faits qui sous-tendent ce postulat sont des faits ambigus, en ce sens qu'ils se prêtent à de multiples interprétations. La réponse à la première question est donc relative ; elle dépend de l'usage que l'on veut faire de la théorie qui sera construite à partir d'un tel postulat. Rappelons qu'une théorie est un instrument de travail et qu'elle n'a pas de valeur en soi ; cela nous amène à la deuxième question : est-ce un choix valable, c'est-à-dire un choix qui me permettra de disposer d'un instrument adéquat pour comprendre la personne humaine ?

À cette deuxième question les réponses sont très variées. Pour les behavioristes, ce n'est pas choix valable, car on introduit dans la science des catégories dites « mentalistes » ou spéculatives qui ne sont pas vérifiables et qui risquent d'ouvrir la porte à toutes sortes d'affirmations gratuites (non scientifiques) sur l'être humain. D'autres répondent oui, spécialement des psychologues praticiens qui ont acquis la conviction que ce postulat permet d'édifier une théorie utile du développement humain et des relations interpersonnelles, théorie qui permet d'accroître les conditions favorables au développement de la personne et de la société. Le lecteur sera en mesure de formuler son propre jugement au terme de cet ouvrage, qui se propose de lui fournir une théorie fondée sur le postulat d'une tendance à l'actualisation.

La troisième question est plus précise : qu'est-ce qui motive un tel choix ? Les faits sont nombreux qui ont conduit des chercheurs à adopter le postulat d'une tendance à l'actualisation. Le choix de Goldstein (1951) repose sur l'étude des troubles du comportement et la neurophysiologie. Pour Rogers, c'est une longue expérience de la psychothérapie, telle qu'il la décrit dans un article intitulé « Qui je suis » (Rogers, 1968). Maslow rapporte quant à lui une expérience personnelle, l'observation quotidienne du développement de son premier enfant (Goble, 1970). Prochaska, Norcross et Diclemente (1994) s'appuient sur l'étude de personnes qui ont réussi à apporter des changements importants dans leur vie sans aucune aide professionnelle. D'autres, enfin, se sont dits émerveillés face à l'évolution de personnes qui, malgré une maladie psychiatrique grave ou les limites de l'aide thérapeutique, réussissent à se reconstruire elles-mêmes (Cabié et Isebaert, 1997 ; Duncan et Miller, 2000).

Pour ce qui est de la quatrième question – quelles sont les conséquences d'un tel postulat ? –, la réponse s'imposera au fil de la lecture de ce livre. On peut souligner dès maintenant une des conséquences : la prise en charge personnelle qui en découle. Chacun porte en lui un dynamisme indéfectible pour une tâche qui lui revient : construire sa personnalité. S'il y a telle chose en moi qu'une énergie biologique orientée, de par sa nature, vers ma propre actualisation, je ne peux attribuer au seul environnement ou à mon passé les limites que je découvre en moi et les ratés dans mon processus d'actualisation. Je ne suis pas dans un état de dépendance totale par rapport à l'environnement, mais bien dans la position de celui qui négocie avec l'environnement afin d'y créer les conditions propices à son développement. Le même raisonnement s'applique en ce qui concerne le bagage héréditaire que j'ai reçu à ma naissance. Quel que soit le potentiel dont j'ai hérité, l'énergie qui m'anime normalement me permet de prendre en charge mon propre devenir et de diriger de façon satisfaisante les processus d'actualisation. Cela n'exclut pas la contrepartie : si je ne suis pas tout à fait dépendant de l'environnement, je n'exerce pas pour autant un pouvoir absolu sur lui. Il reste vrai que je suis partiellement orienté par mon hérédité et que j'ai à composer avec un environnement qui peut échapper à mon contrôle. Le développement de la personne se présente comme une négociation continuelle entre chaque individu et son environnement. L'image de la négociation rend compte adéquatement de l'interaction de la personne avec son environnement. Dans toute négociation, il y a deux interlocuteurs dont les intérêts sont souvent divergents, mais qui cherchent la solution la plus satisfaisante.

Le postulat de la tendance à l'actualisation ne signifie pas, en effet, qu'il y a en nous un automatisme dont le résultat assuré est l'actualisation effective de la personne. L'énergie biologique est de nature à favoriser cette actualisation, mais elle sera agissante dans la mesure où la personne sera libre d'entraves de toutes sortes : entraves physiques héréditaires qui, dans certains cas, peuvent compromettre l'actualisation de la personne ; entraves psychologiques, sociales et culturelles qui peuvent faire dévier l'orientation spontanée de cette énergie actualisante. Postuler une tendance à l'actualisation, ce n'est pas minimiser les difficultés de ce processus ; c'est tout simplement considérer que la force la plus primitive de l'organisme humain est une force d'actualisation plutôt qu'une force destructrice qu'il faut maîtriser de l'extérieur. On verra au chapitre IV les conditions nécessaires pour qu'il y ait processus d'actualisation.

La psychologie perceptuelle ne rejette par ailleurs pas la nécessité d'un encadrement de l'énergie biologique dans le processus d'actualisation. En postulant une tendance à l'actualisation, elle tient pour acquis qu'un contrôle s'exerce spontanément et qu'il fait partie d'un processus inné d'autorégulation. Rogers le décrit comme un processus d'évaluation « organismique » : « L'enfant, tel qu'il est conçu ici, est équipé d'un système inné de motivation (la tendance à l'actualisation, propre à tout être vivant), et d'un système inné de contrôle (le processus d'évaluation « organismique ») qui, par voie de communication interne automatique, maintient l'organisme au courant du niveau de satisfaction des besoins émanant de la tendance à l'actualisation. » (Rogers et Kinget, 1973, p. 217-218.) Cette façon de concevoir le système de contrôle a, elle aussi, des conséquences, en particulier dans le domaine de l'éducation et des relations interpersonnelles. Les chapitres suivants permettront d'en mesurer toute la portée.

Le primat de la subjectivité

Le second postulat de la psychologie perceptuelle concerne la perspective selon laquelle le psychologue étudie la personne humaine. Il reflète l'adoption du champ perceptuel de la personne comme cadre de référence pour comprendre son fonctionnement et son comportement. Le psychologue, en tant qu'homme de science, estime que le comportement humain est soumis à des lois qu'il essaie de découvrir. Dans cette recherche des lois, il doit établir certains principes de base. La formulation de ces lois, par exemple, sera bien différente s'il envisage le comportement comme une réponse à des stimuli de l'environnement ou si, au contraire, il l'envisage sous l'angle du dynamisme intérieur de la personne. Traditionnellement, la psychanalyse choisit comme principe d'interprétation du comportement la motivation inconsciente soumise à l'action plus ou moins déformante des mécanismes de défense ; le behaviorisme choisit l'effet conditionnant de l'environnement selon le schème stimulus-réponse ; la psychologie perceptuelle, pour sa part, postule que *le comportement est totalement déterminé par le champ perceptuel de la personne qui agit, au moment où elle agit.* Il n'affirme pas que le comportement est uniquement déterminé par la perception. Son postulat est plutôt d'ordre méthodologique et il serait tout aussi juste de dire que le psychologue perceptuel fait « comme si » le comportement était totalement déterminé par le champ perceptuel. On pourrait de la même façon affirmer que le behavioriste et le psychanalyste font « comme si » les données subjectives étaient quantité négligeable, pour des raisons méthodologiques.

Les remarques déjà faites plus haut au sujet du choix qui sous-tend un postulat, du caractère indémontrable de ce dernier et de sa valeur relative s'appliquent ici. Il n'est donc pas question de prouver que c'est une bonne façon, et encore moins que c'est la meilleure façon, de procéder dans l'étude de la personne. Il importe plutôt de bien expliquer ce que signifie ce postulat et de voir quelles en sont les principales conséquences pour l'étude de la personne.

Le postulat repose sur une constatation : lorsque nous appréhendons ce qui se passe en nous et autour de nous, ce que nous percevons correspond pour nous à *la réalité*. L'exemple extrême de l'illusion ou du mirage est frappant. Le marcheur assoiffé qui perçoit de l'eau dans le désert sous l'effet combiné de la soif, de la chaleur et des reflets du soleil sur le sable ne fait pas la distinction entre la réalité objective et la réalité qu'il perçoit : il « voit » de l'eau et marche dans cette direction pour se désaltérer. Pour lui, il y a de l'eau et son comportement prend un sens à partir du moment qu'il nous dit qu'il a perçu de l'eau, même si, objectivement parlant, il n'y a que du sable. Il en est ainsi de celui qui a une hallucination. Un de mes amis me rapportait un jour l'expérience troublante qu'il a vécue au volant de sa voiture : sur une autoroute où il filait à 120 kilomètres à l'heure, il a subitement vu défiler devant lui des éléphants roses qui lui coupaient la route. Il a appliqué les freins si brusquement qu'il a failli perdre la maîtrise de sa voiture. Après avoir constaté l'absurdité de sa réaction et avoir reconnu l'absence totale d'éléphants sur la route, il a poursuivi son chemin pour être une seconde fois victime de la même vision hallucinatoire. Or, malgré l'absurdité évidente – et la conscience qu'il avait de cette absurdité – de ses perceptions, il a dû faire un effort énorme pour continuer son chemin, tout en ayant le sentiment réel de foncer sur les éléphants qu'il voyait sur le chemin, jusqu'à ce que l'hallucination prenne fin. Ce qui l'a tellement troublé, par la suite, c'est le caractère réaliste de cette perception qu'il savait être le produit de son imagination. Il pouvait d'ailleurs expliquer assez facilement cette hallucination, attribuable à un manque prolongé de sommeil à ce moment; le contenu reproduisait des statuettes d'éléphants qui l'avaient beaucoup impressionné dans son enfance.

L'exemple du mirage et l'anecdote des éléphants sont de nature exceptionnelle et ne prouvent rien en eux-mêmes; ils soulignent cependant jusqu'à quel point les perceptions sont vécues comme réelles. Deux témoins honnêtes d'un même accident sont tous les deux persuadés de la véracité de leurs versions respectives, bien que celles-ci s'opposent sur tous les points. Ils ont effectivement perçu ou perçoivent maintenant ce qu'ils décrivent de l'expérience qu'ils ont vécue. Il en va ainsi des perceptions plus banales de la vie quotidienne: objectivement parlant, toutes les personnes qui ont peur des souris ou des couleuvres savent que «les petites bêtes ne mangent pas les grosses», mais il n'en demeure pas moins que leur comportement résulte de ce qu'elles perçoivent, et ces perceptions évoquent une menace ou un danger. De même, qui n'a pas débattu un jour une question en ayant la certitude que sa position reposait sur des faits incontestables pour découvrir plus tard qu'il n'en était rien?

La psychologie perceptuelle choisit, comme méthode de travail, de toujours relier le comportement de la personne à l'ensemble de son champ perceptuel. Elle donne la priorité au cadre de référence de celui qui agit. Elle croit pouvoir bâtir une théorie cohérente de la personne et des relations interpersonnelles en s'appuyant sur l'expérience des individus: tel est le sens de l'expression «primat de la subjectivité» qui désigne le second postulat. On peut le formuler autrement en affirmant, comme l'a fait Rogers (1951), que chacun d'entre nous « vit dans un univers subjectif dont il occupe le centre ».

Le primat de la subjectivité n'exclut pas la recherche de critères de validité des perceptions. Des constructivistes contemporains vont jusqu'à mettre en doute l'existence d'une réalité objective (voir Watzlawick, 1988) ; pourtant, les plus radicaux d'entre eux reconnaissent la nécessité de valider nos perceptions. Ils préfèrent parler de perceptions plus ou moins viables plutôt que de prétendre qu'elles reflètent une réalité objective. Mais quel que soit le degré d'accord auquel on puisse parvenir entre ses perceptions et une prétendue réalité objective, le primat de la subjectivité suppose qu'il existe toujours un certain écart entre cette réalité et la perception que chacun en a ; il permet d'ajouter que, de toute façon, c'est la perception que chacun a de cette réalité qui détermine son comportement. Le même raisonnement s'applique à l'influence de l'énergie biologique qui agit continuellement sur le champ perceptuel. Des mécanismes inconscients peuvent même déformer totalement les perceptions et entraîner des erreurs systématiques dans la façon de percevoir ce qui se passe en soi et autour de soi, mais la conclusion est la même : c'est dans la subjectivité de la personne, dans son champ perceptuel, que l'on peut trouver les facteurs qui déterminent immédiatement son comportement.

On peut voir ce qui distingue l'approche de la psychologie perceptuelle de l'approche de la psychanalyse qui, elle, s'intéresse aux processus inconscients par lesquels l'énergie biologique est transformée en comportements. Lorsqu'on adopte le primat de la subjectivité, on privilégie les processus conscients : on suppose qu'il ne peut y avoir transformation d'énergie en comportements sans une manifestation dans le champ perceptuel de la personne. Cela découle du modèle décrit dans le premier chapitre, qui reconnaît la présence simultanée de toutes les dimensions : comportement, énergie biologique, processus inconscients, champ perceptuel et image de soi.

Une formule empruntée à Lewin (1959) peut servir à résumer le postulat énoncé ici :

$$Ct = fP\ (S, E), t,$$

où C = comportement, t = à un instant donné, f = fonction, P = perception, S = soi (*self*), E = environnement. La formule signifie que le comportement d'une personne à un instant donné est fonction de la perception que cette personne a d'elle-même et de son environnement à cet instant donné.

Plusieurs conséquences de l'option sous-jacente au postulat du primat de la subjectivité apparaîtront dans l'explicitation de la théorie de la motivation et des relations interpersonnelles présentée plus loin (chapitres III et V à VIII), mais on peut déjà en souligner quelques-unes.

Une première conséquence se manifeste dans la relation du psychologue perceptuel avec son interlocuteur. En choisissant de donner la priorité au champ perceptuel comme facteur explicatif du comportement, le psychologue renonce au privilège du savant : il n'est plus celui qui sait des choses sur la personne en face d'un profane qui ignore tout de cette personne. Il devient plutôt un guide qui peut fournir des points de repère pour l'exploration que chacun veut faire de son propre champ perceptuel. C'est en vertu de ce postulat que, dès l'introduction de cet ouvrage, le lecteur a été associé à la démarche scientifique qui lui est proposée.

Une autre conséquence du choix méthodologique contenu dans le second postulat est la nécessité de redéfinir l'objectivité. S'il est vrai que chacun « vit dans un univers subjectif dont il occupe le centre », y a-t-il place pour l'objectivité ? Dans le contexte perceptuel, la recherche d'objectivité demeure, mais elle est présentée comme le résultat d'une intersubjectivité. La mise en commun de plusieurs perceptions conduit, pour chacun des interlocuteurs, à une meilleure représentation de lui-même et de son environnement. On a toujours exigé, d'ailleurs, de toute proposition scientifique qu'elle puisse être soumise à la vérification de plusieurs observateurs indépendants. En cela l'attitude du psychologue perceptuel ne s'écarte pas de la tradition scientifique. Au lieu de restreindre, cependant, cette vérification au cercle scientifique qui dispose de l'équipement méthodologique pour reproduire des expériences complexes, il élargit ce cercle pour y associer toute personne capable de soumettre sa subjectivité à une observation rigoureuse et systématique.

Une autre conséquence du primat de la subjectivité est l'importance que prend la vérification constante de ses perceptions. L'individu qui adopte ce postulat cherche le feed-back de son environnement comme moyen de vérifier si ses perceptions sont partagées. Il est vrai, cependant, que le postulat énoncé ici exclut la possibilité d'une objectivité pure.

Comme le postulat précédent, celui-ci a subi l'épreuve du temps. Il a été repris et développé avec beaucoup de nuances par le courant constructiviste, qui s'est récemment imposé dans le domaine de la psychologie (Watzlawick, 1988 ; Neimeyer et Mahoney, 1995). On fait des progrès considérables dans le domaine de la psychologie en observant la manière dont chacun construit sa réalité.

Retenons, enfin, que cette façon d'envisager la personne humaine soulève une autre question, celle du changement des perceptions. Comment agir sur ses propres perceptions et sur celles des autres ? Comment, en particulier, faire la critique des perceptions de soi pour arriver à une connaissance adéquate de sa propre personne ? Voilà l'angle sous lequel le psychologue perceptuel aborde le domaine de la croissance et du changement personnels. Les chapitres qui suivent fourniront les instruments nécessaires pour répondre à de telles questions.

CHAPITRE III

LA MOTIVATION

Le champ perceptuel, tel que nous l'avons précédemment défini, peut être considéré comme un ensemble de processus conscients par lesquels l'énergie biologique est transformée en comportements. Un de ces processus est la motivation. C'est par l'analyse des besoins que la psychologie perceptuelle étudie la motivation humaine. Le besoin est défini comme une « exigence née de la nature ou de la vie sociale » (*Petit Robert*). Comprenons que l'énergie biologique, d'une part, et l'environnement, d'autre part, contribuent à faire émerger dans le champ de la conscience un ensemble complexe de besoins qui, à leur tour, dirigent le comportement de la personne.

La notion de besoin a fait son apparition très tôt dans la littérature scientifique. Certains auteurs mettaient l'accent sur un seul aspect du processus motivationnel. Pour eux, la motivation se réduisait à un besoin central. C'est le cas, par exemple, du besoin d'actualisation de soi chez Angyal (1941) et Goldstein (1951), du besoin d'accomplissement de soi de McClelland (1953), du besoin de compétence de Combs et Snygg (1959), du besoin de signification de Frankl (1969), pour ne citer que ceux-là. D'autres s'attachaient plutôt à dresser une sorte d'inventaire des principales sources de motivation et identifiaient une multitude de besoins. Relèvent de cette démarche, entre autres, les théories de Murray (1938), de Maslow (1954), de Linton (1965) et de Nuttin (1980). Cette diversité s'est maintenue et a donné naissance à un nombre impressionnant de théories contemporaines de la motivation (voir Vallerand et Thill, 1993).

L'objet de ce chapitre est de présenter une grille qui couvre l'ensemble des processus motivationnels déjà observés et analysés par d'autres auteurs. Cette grille constitue une synthèse des recherches antérieures sur le sujet et se veut exhaustive en ce qui concerne les éléments de motivation directement accessibles à la conscience d'une personne. L'hypothèse de base est la suivante : l'effet le plus immédiat de la tendance à l'actualisation est de transformer l'énergie biologique en besoins dont la satisfaction entraîne une actualisation effective de la personne humaine.

La grille proposée répertorie d'abord un ensemble de besoins fondamentaux, considérés comme innés et universels ; viennent ensuite des besoins structurants, qui sont acquis au cours du développement de la personne et qui évoquent les moyens privilégiés par une personne pour satisfaire ses besoins fondamentaux ; ils traduisent en particulier l'influence de la culture et du milieu dans lequel chaque personne évolue. Ces besoins structurants se concrétisent enfin dans une série infinie de besoins situationnels que l'on peut déceler directement dans l'expérience de chaque jour. La figure 2 résume cette grille. Seule l'énumération des besoins fondamentaux d'ordre psychologique, dans la colonne de gauche, est exhaustive ; les autres parties de la figure correspondent à des catégories dont le nombre d'éléments est illimité ; c'est le cas des besoins structurants et situationnels qui sont illustrés par quelques exemples seulement. L'enchaînement des besoins fondamentaux, structurants et situationnels,

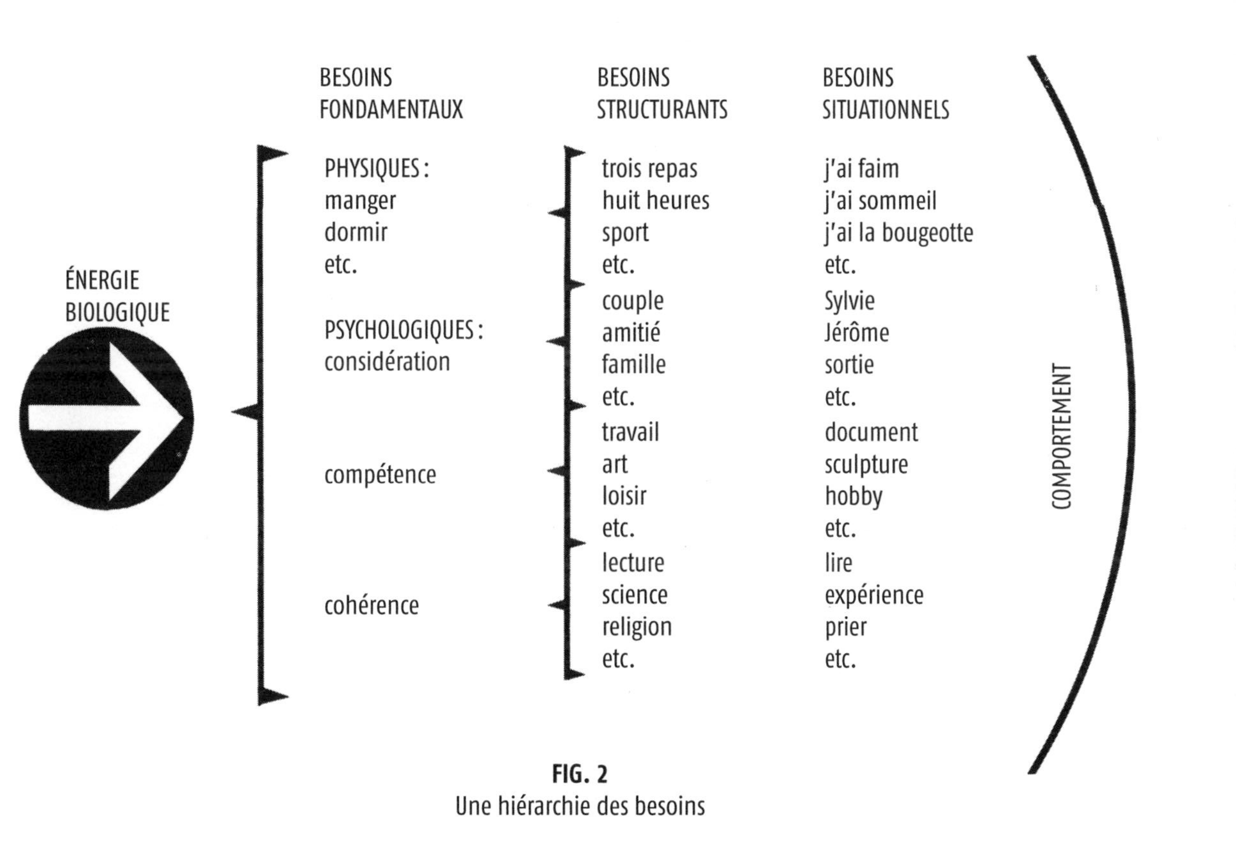

FIG. 2
Une hiérarchie des besoins

dans la figure 2, reflète l'ordre logique, mais, dans l'expérience que l'on a de sa propre motivation, l'ordre est inverse. Selon la méthode utilisée (St-Arnaud, 1983), l'observation des besoins situationnels a été le point de départ ; la comparaison de besoins rapportés par toutes sortes de personnes dans des contextes variés a permis de dégager des régularités considérées comme l'expression de besoins structurants. Enfin, tous les besoins humains ont été regroupés dans quelques catégories de besoins fondamentaux.

Les besoins fondamentaux

Le besoin fondamental est un élément essentiel du processus d'actualisation ; il traduit une exigence innée de l'organisme, exigence qui ne peut rester insatisfaite sans entraîner des conséquences graves pour le développement de cet organisme. C'est ce que signifie le terme « fondamental ». Selon une distinction qui a servi, dès les années cinquante, à orienter les recherches en sciences humaines (Kluckhohn et Murray, 1956), on peut énoncer trois affirmations sur l'être humain, les trois étant simultanément vraies : 1) chaque homme est comme tous les autres hommes ; 2) chaque homme est semblable à certains autres ; 3) chacun est unique. Ces trois affirmations conviennent parfaitement aux trois catégories de la grille présentée dans la figure 2. La première affirmation, par exemple, convient à la définition des besoins fondamentaux : tous les hommes, en vertu même de l'énergie biologique qui les anime et de la tendance à l'actualisation qui agit en eux, ont les mêmes besoins fondamentaux.

Le choix des catégories pour classifier les besoins fondamentaux n'a pas été facile. Le vocabulaire utilisé et les points de vue théoriques varient beaucoup sur cette question. La grille proposée repose sur l'hypothèse suivante : l'énumération d'un nombre indéterminé de besoins physiques et d'un nombre déterminé de trois besoins fondamentaux d'ordre psychologique permet de rendre compte adéquatement de tous les aspects de la motivation humaine. Les trois besoins psychologiques sont 1) le besoin de considération, qui correspond au besoin d'aimer et d'être aimé ; 2) le besoin de compétence, qui entraîne à produire ou à créer ; et 3) le besoin de cohérence, qui pousse à donner un sens à sa vie, à expliquer les choses, à comprendre ce qui se passe en soi et autour de soi. Une présentation sommaire de chacune de ces catégories permettra au lecteur d'évaluer la pertinence de cette grille. Les chapitres V à VIII analyseront de façon plus détaillée les expériences qui correspondent à ces besoins et les moyens que l'on se donne pour y répondre.

Les besoins physiques (ou biochimiques)

Les besoins physiques (ou biochimiques) recouvrent un ensemble indéterminé d'exigences physiques et physiologiques de l'organisme humain. Certains éléments de cet ensemble sont bien connus et leurs manifestations dans le champ perceptuel sont évidentes. Tel est le besoin physique de nourriture qui, avec l'expérience de la faim et l'action de manger qui en découle, fait partie de la vie quotidienne de toute personne en bonne santé. Il en va de même du besoin d'oxygène, dont l'absence entraîne une expérience de suffocation et commande la respiration, ainsi que du besoin de sommeil, qui oriente vers le lit.

D'autres besoins ne sont pas aussi faciles à identifier. Dans la grille utilisée ici, l'ensemble des besoins physiques reste indéterminé, car, d'une part, il appartient davantage aux sciences biologiques d'en établir l'origine biochimique et, d'autre part, ils ne sont pas spécifiques à la personne humaine. De nombreuses études nous renseignent sur les besoins physiques en fer, en calcium, en iode, en phosphore, en sucre et en centaines d'autres éléments nécessaires pour que l'organisme conserve son équilibre biochimique. D'autres études nous renseignent aussi sur les exigences physiologiques qui sont à la base d'une hygiène physique et mentale. Du point de vue perceptuel, les manifestations conscientes de ces différentes exigences sont très peu caractéristiques par ailleurs. Tout au plus peut-on parler d'un sentiment de bien-être, de santé, de confort psychologique ou, à l'inverse, d'un sentiment de tension, de malaise, d'inconfort lorsque l'équilibre biochimique est rompu. Le caractère non spécifique de ces manifestations ne permet pas au psychologue d'établir une liste complète des besoins sous-jacents sans l'aide des sciences biologiques. Pour l'élaboration d'une théorie de la personne humaine, il suffit d'identifier le processus de transformation énergétique inhérent aux besoins physiques.

Malgré la connaissance partielle que l'on a de cet ensemble de besoins physiques, il est essentiel de les incorporer dans la liste des besoins fondamentaux de la personne. D'une part, ces besoins correspondent à l'expérience de chacun et, d'autre part, leur satisfaction est un préalable indispensable à l'émergence des besoins d'ordre psychologique. Le caractère hiérarchique des besoins a été très bien expliqué par Maslow (1954), un auteur classique en matière de motivation. Maslow distingue les besoins par déficience (*deficiency needs*), qui englobent l'ensemble des besoins physiques dans la grille présentée ici, puis les besoins de croissance (*growth needs*). Ces derniers émergent, selon Maslow, dans le champ de la conscience lorsque les premiers ont reçu une satisfaction adéquate. Maslow ajoute aux besoins par déficience ce qu'il appelle le besoin de sécurité, mais c'est là un cas particulier qui sera examiné plus loin dans le chapitre.

Ce caractère hiérarchique que l'on reconnaît dans le rapport entre les besoins physiques et les besoins psychologiques est à peine évoqué dans la représentation verticale de la figure 2 par la préséance accordée aux besoins physiques. L'accent est plutôt mis sur le fait que la transformation de l'énergie biologique en besoins fondamentaux se fait selon des processus autonomes. En fait, une absence relative de santé physique n'exclut pas l'émergence des autres besoins. D'un autre point de vue, le développement des besoins structurants et des besoins situationnels dans le prolongement des besoins physiques peut aussi se faire de façon autonome : la représentation qui apparaît dans la figure 2 permet de suivre l'évolution de la structure motivationnelle de la personne.

Le besoin de considération

S'actualiser, ou transformer son énergie biologique en comportements qui permettent l'actualisation de la personne, c'est, entre autres choses, satisfaire un besoin fondamental d'aimer et d'être aimé. De la même façon que le médecin voit dans l'appétit physique un signe de santé de l'organisme, le psychologue considère l'émergence de ce besoin d'aimer et d'être aimé comme un signe de santé psychologique. Le mot « aimer » pose problème, car il renvoie tantôt à une relation très intense entre deux personnes, tantôt à une expérience qui n'a rien à voir avec l'amour, par exemple lorsqu'on dit avoir aimé un spectacle. De plus, l'emploi des termes « aimer » et « être aimé », lorsqu'il concerne deux personnes, ne recouvre qu'un aspect du besoin fondamental dont il est ici question. Pour englober toutes les manifestations de ce besoin et contourner la difficulté que comporte le terme « aimer », nous avons retenu le terme « considération » pour désigner ce premier besoin fondamental.

L'état de dépendance matérielle dans lequel se trouve le petit de l'homme à sa naissance suffirait à lui seul à démontrer l'importance d'un lien interpersonnel entre l'enfant et ses parents. On pourrait objecter, bien sûr, qu'il s'agit là d'un lien instrumental et qu'un environnement mécanisé pourrait répondre à tous les besoins de l'enfant. Or de nombreuses données, qui datent des premières recherches scientifiques sur le sujet, tendent à infirmer une telle hypothèse. Des faits révélateurs à ce sujet ont été recueillis par Spitz (1945) dans ses études sur les enfants en milieu hospitalier. Spitz a constaté qu'en l'absence d'un lien stable entre l'enfant et une autre personne, la mère ou un substitut, une série de symptômes inexplicables du point de vue médical apparaissent chez l'enfant. Ces symptômes s'accompagnent d'un dépérissement pouvant aller jusqu'à la mort. Dans le contexte actuel, il ne serait pas faux de dire que ces enfants meurent de la non-satisfaction du besoin fondamental de considération. La psychanalyse a de son côté étudié sous tous les angles l'influence déterminante pour le développement de la personne des rapports affectifs entre l'enfant et les personnes qui l'entourent. Elle confirme ainsi la présence de ce besoin fondamental de considération.

Parmi les psychologues qui se sont penchés sur la motivation humaine, plusieurs ont intégré dans leurs théories le processus plusieurs accordent une place centrale au besoin de considération. Pour sa part, Rogers mentionne un seul besoin fondamental de la personne, le besoin de « considération positive », besoin qu'il décrit aussi comme un besoin d'affection (Rogers et Kinget, 1973). La psychanalyse a toujours considéré, quant à elle, que la plupart des maladies mentales, que l'on attribuait autrefois à des facteurs héréditaires, commencent en fait dans les toutes premières années de la vie et sont les conséquences de relations interpersonnelles défectueuses entre l'enfant et son milieu.

De façon plus positive, l'apparition spontanée, chez l'enfant qui grandit, de sentiments chaleureux et d'un comportement par lequel il cherche l'union avec d'autres personnes illustre bien ce besoin fondamental. La somme considérable d'énergie déployée dans la société, de façon plus ou moins efficace, pour répondre à un tel besoin va dans le même sens. La littérature, le cinéma, le théâtre et l'art dans toutes ses formes se nourrissent de cette motivation décrite par Fromm (1968) comme « le plus puissant dynamisme en l'homme ». Il en parle en des termes qui mettent bien en lumière son caractère fondamental : « C'est la passion la plus fondamentale, c'est la force qui maintient la cohésion de la race humaine, du clan, de la famille, de la société. L'échec à le réaliser signifie folie ou destruction – destruction de soi ou destruction des autres. Sans amour, l'humanité ne pourrait survivre un seul jour. »

Ce premier besoin fondamental comporte un double mouvement actif-passif : il incite tantôt à rechercher ou à recevoir la considération, tantôt à en donner. Dans le bilan que chacun fait de ses motivations conscientes, il n'est pas rare de constater que l'un des deux mouvements peut s'exercer librement alors que l'autre est inhibé. C'est le cas de bien des générations du siècle dernier qui ont intériorisé un idéal moral qui rendait suspect le mouvement « être aimé », le don de soi étant présenté comme le sommet de l'actualisation. Certains croient qu'aujourd'hui le balancier a atteint l'autre extrême, chacun vivant pour soi.

Quoi qu'il en soit des facteurs socioculturels qui interviennent dans l'expérience d'aimer et d'être aimé, l'hypothèse qui sous-tend l'explicitation du premier besoin fondamental est qu'une satisfaction adéquate du besoin de considération, dans ses modalités actives et passives, est indispensable à l'actualisation de la personne. L'absence totale de toute manifestation d'un tel besoin dans le champ perceptuel d'une personne est donc considérée comme un indice de blocage dans le processus d'actualisation. Selon cette hypothèse, on peut par ailleurs prédire que si les entraves socioculturelles ou autres qui inhibent le besoin de considération sont repérées et supprimées, celui-ci réapparaîtra et donnera à la personne des possibilités de s'actualiser. Cette remarque découle du caractère fondamental du besoin de considération ; elle vaudra pour les deux autres besoins définis ci-après.

Le besoin de compétence

Dans la tradition de la troisième force (voir le premier chapitre), les besoins du domaine affectif ont toujours eu la vedette. On continue à associer le développement psychologique à la satisfaction du besoin de considération. D'autres recherches ont conduit à la reconnaissance d'un besoin de compétence, un besoin qui oriente les rapports entre une personne et son environnement physique et socioculturel. Le besoin de compétence est moins bien caractérisé que le besoin de considération dans la littérature psychologique. Plusieurs psychologues, Fromm (1968) par exemple, voient le comportement que commande ce besoin comme une façon imparfaite d'obtenir l'union et de vaincre l'angoisse de la séparation, l'amour étant la seule solution adéquate. D'autres, comme Freud (cité dans Wolman, 1968), voient un signe d'équilibre psychique dans la capacité d'aimer et de travailler. Le travail est ordinairement le domaine où se manifeste le besoin de compétence, mais Freud le considère comme un indice général de l'équilibre et non comme un moyen de satisfaire un besoin fondamental.

Les concepts liés au besoin de compétence sont apparus très tôt dans le vocabulaire scientifique. Ils ont contribué à l'émergence de théories qui allaient au-delà des besoins physiques. Le concept de compétence a été proposé par White (1959) et développé par

Harter (1978). Dans un des premiers traités sur la motivation, Buck (1976) y consacre un chapitre complet. Plusieurs autres auteurs se sont intéressés à cet aspect de la motivation : McClelland (1953) de même que Atkinson et Feather (1966) ont travaillé sur le concept d'accomplissement (*achievement*). McClelland (1975) a aussi étudié le besoin de pouvoir. Nuttin (1980) s'est penché sur ce qu'il appelle « une tendance à produire un effet », « un plaisir de causalité ».

La phase de développement décrite par Erikson (1959) sous le nom d'« industrie » en est une autre illustration. Pour Erikson, la dynamique de la personnalité chez l'enfant de 6 à 12 ans consiste à bien faire les choses : « De la même façon qu'antérieurement l'enfant était infatigable dans ses efforts pour marcher correctement et pour lancer des objets correctement, il veut maintenant faire des choses correctement. Il développe le plaisir du travail accompli à travers une attention soutenue et une grande persévérance. »

Plus récemment, les théories de Deci et Ryan (1985) ont associé étroitement l'actualisation et la compétence. Voici comment Pelletier et Vallerand rendent compte de l'évolution de la recherche :

> Enfin, il semble opportun d'ajouter que certains auteurs ont établi un lien étroit entre les besoins de compétence et d'autodétermination. Par exemple, Angyal (1941) a proposé que le développement humain était caractérisé par un mouvement vers une plus grande autonomie et qu'un tel mouvement était tributaire du développement continuel des compétences de la personne. En d'autres termes, la personne doit avoir la compétence nécessaire pour s'autodéterminer dans ses diverses transactions avec son environnement. Sinon, l'environnement risque de contrôler la personne et sa démarche vers l'autono-

> mie sera ralentie ou carrément arrêtée. Par ailleurs, Deci (1975), et Deci et Ryan (1985) présentent la position complémentaire de celle d'Angyal en soutenant qu'afin de se développer de façon harmonieuse et complète, l'être humain doit viser une compétence autodéterminée. Sans cette autodétermination sous-jacente aux perceptions de compétence, la force motivationnelle de la personne se trouve diminuée. (Pelletier et Vallerand, 1993, p. 253.)

Le processus d'actualisation qui est sous-jacent au besoin de compétence n'est pas lié à une réalisation particulière. Contrairement au besoin de considération dont la satisfaction résulte de la relation entre deux personnes, le besoin de compétence est ouvert quant à son aboutissement. C'est l'expérience même de la production ou de la création qui est facteur d'actualisation. Produire, c'est mettre à contribution son énergie biologique et la canaliser vers une transformation, par l'action de l'environnement : action physique dans le cas d'une transformation matérielle, d'une création dans le cadre des arts plastiques, par exemple ; action instrumentale dans le cas d'une production intellectuelle, d'une création scientifique ou littéraire, par exemple. Dans tous les cas, le contentement qui résulte du travail bien fait ou du problème solutionné témoigne, dans le champ perceptuel, d'une satisfaction du besoin fondamental de compétence. À l'inverse, le sentiment d'échec ou la gamme des sentiments désagréables face au travail mal fait, au problème mal solutionné, témoigne de la non-satisfaction de ce même besoin.

Le besoin de cohérence

Le dernier besoin fondamental, comme ceux qui précèdent, est un thème présent dans les premiers travaux scientifiques sur la motivation. Frankl (1967) a fondé toute sa théorie de la logothérapie sur ce qu'il a appelé le *man's search for meaning*, la recherche d'une signification, d'un sens. La langue française n'a pas d'équivalent exact pour le terme *meaning*. Le terme « cohérence » est employé ici pour désigner ce troisième besoin fondamental.

Combs et Snygg (1959), dans leur traité de psychologie perceptuelle, relèvent un seul besoin fondamental : la recherche de cohérence (*man's search for adequacy*), qu'ils assimilent à la tendance à l'actualisation. En ce qui concerne ses manifestations, cependant, le processus qu'ils analysent consiste à maintenir une organisation adéquate du champ perceptuel.

Dans son traité sur la motivation, après un chapitre sur la compétence, Buck (1976) consacre un chapitre aux théories cognitives associées au besoin de cohérence. Il cite, entre autres théories, celles de Heider (1958), de Lewin (1959) et de Festinger (1975). Le premier, Heider, est considéré comme le fondateur de la théorie de l'attribution, l'attribution consistant dans « un processus central qui permet à un individu de donner un sens (*giving meaning*) aux événements internes et externes » (Buck, 1976). L'attribution a trait à la façon de répondre aux questions qui commencent par « pourquoi ».

Nuttin, dans son étude exhaustive de la motivation humaine, conclut ainsi la partie de son ouvrage traitant du besoin de cohérence :

> En un mot, il y a lieu d'admettre que l'homme est motivé à se construire – ou à démolir – un système de référence intégral qui le renseigne sur sa place et celle des choses dans l'ordre réel. Il tend à attribuer une « valeur de réalité » aux conceptions – fussent-elles agnostiques – qu'il accepte en cette matière. Une fois acceptée, une telle conception globale

> tend à se maintenir et se défendre contre des perceptions discordantes (Festinger, Riecken et Schachter, 1956). En acceptant ou en niant la valeur de telles conceptions générales, l'homme cherche, apparemment, à donner à sa vie une certaine consistance interne et un sens, grâce au contact qu'il établit ainsi avec « l'ordre réel ». C'est en vertu du même souci de réalité que certains se refusent à de telles conceptions qu'ils appellent illusoires. Le souci profond de rejoindre la réalité des choses paraît être un trait important de la motivation humaine au niveau supérieur de son développement cognitif. (Nuttin, 1980, p. 181.)

Toutes ces théories ont progressé et se sont multipliées ; elles sont toujours actuelles, comme en témoigne le traité de la motivation de Vallerand et Thill (1993).

Le même raisonnement qui a conduit à incorporer le besoin de considération et le besoin de compétence dans la liste des besoins fondamentaux s'applique au besoin de cohérence. D'une part, l'impossibilité de trouver une signification aux choses ou aux situations constitue souvent un empêchement majeur à l'actualisation d'une personne, même si celle-ci réussit à satisfaire ses autres besoins. L'incapacité de faire face à l'absurdité apparente de la vie, par exemple, peut empêcher une personne de s'actualiser, même si cette personne produit, aime et se sent aimée.

L'intégration des besoins fondamentaux

Bien que nous nous soyons efforcé de justifier la pertinence de chacun des trois besoins fondamentaux d'ordre psychologique présentés dans les pages précédentes, le nombre de trois peut sembler arbitraire. En fait, comme dans le cas des postulats adoptés au point de départ, il s'agit d'une hypothèse de travail choisie de préférence à toute autre. Ce choix est en relation avec un objectif précis : permettre un inventaire exhaustif de chaque structure motivationnelle. Il est vrai que les théories fondées sur un seul besoin disposent d'une grille plus simple et plus facile à manier. L'avantage d'une grille plus complexe est d'offrir plus de possibilités à celui qui veut entreprendre un bilan de ses processus motivationnels. Par ailleurs, il semble y avoir suffisamment de faits pour qu'on puisse conclure que sont à l'œuvre trois processus autonomes de transformation consciente de l'énergie biologique en comportements, comportements qui sont dirigés vers la satisfaction de ces besoins fondamentaux.

La grille utilisée pose un problème particulier, celui de l'intégration et de l'inter-influence des trois besoins fondamentaux dans l'agir concret d'une personne. D'une part, il semble possible d'isoler chacun des processus ; c'est ce qui permet de les considérer comme autonomes et d'affirmer qu'aucun des trois n'est réductible aux deux autres. De ce point de vue, les concepts de « déplacement » et de « compensation » employés par d'autres théoriciens ne sont pas retenus ici, parce qu'ils ne correspondent pas à l'expérience de la personne. Je peux accepter théoriquement, que mon activisme, par exemple, soit une compensation pour un besoin affectif non satisfait, voire une fuite de telle ou telle pulsion menaçante, mais telle n'est pas l'expérience que je vis. Sans nier la pertinence de telles hypothèses, la grille proposée ici traite chaque processus motivationnel de façon autonome, indépendamment du fait qu'il puisse aussi s'accompagner de processus inconscients que d'autres théories se chargent d'expliciter. D'autre part, la manifestation des processus autonomes semble difficile à percevoir dans l'agir concret d'une personne. Le plus souvent, le processus motivationnel est vécu de façon complexe par chaque individu et il n'est pas toujours possible de rattacher tel comportement à tel besoin fondamental spécifique. L'explicitation des autres catégories de la grille, celles des besoins structurants et des besoins situationnels, viendra raffiner l'instrument d'analyse, mais auparavant, il peut être utile de préciser le mode d'emploi des trois besoins déjà présentés.

En fait, les trois besoins considérés comme fondamentaux permettent de vérifier si sont réunies les conditions minimales d'actualisation dans chacun de ces trois domaines. Au-delà d'un seuil minimal, chacun peut se servir de cette grille pour déterminer l'importance relative accordée à chacun de ces besoins au cours de son histoire. Il est évident que les trois processus motivationnels n'ont pas la même valeur ni la même intensité dans le champ perceptuel d'un chacun. Les choix antérieurs, les événements passés, les blocages éprouvés ont souvent pour effet d'accentuer, voire d'hypertrophier dans certains cas, l'un ou l'autre des processus. Telle personne semble canaliser son énergie biologique dans l'expérience d'aimer et d'être aimée, devenant une sorte de « spécialiste de l'amour », au moins pour une période de sa vie. Telle autre se définit comme un homme ou une femme « d'action ». Telle autre, enfin, semble trouver sa principale source de satisfaction dans un univers intellectuel, philosophique ou religieux. En établissant l'importance relative accordée à chacun de ses besoins, un individu peut préciser sa structure motivationnelle, c'est-à-dire la façon dont s'opère en lui la transformation de l'énergie biologique en comportements. L'inventaire partiel qui suit des besoins structurants et des besoins situationnels facilitera ce travail.

Notons enfin que, malgré l'autonomie qui leur est reconnue, ces trois besoins fondamentaux ne sont pas totalement indépendants l'un de l'autre. Très souvent, ils sont simultanément présents sous un comportement donné. Les besoins de manger, de considération et de compétence, par exemple, peuvent simultanément être à l'origine du rendez-vous que je me propose de prendre pour le lunch avec l'ami qui m'aidera à résoudre un problème.

Les besoins structurants

Les besoins fondamentaux sont considérés comme innés en chaque personne et universels : c'est un des aspects où « chaque homme est comme tous les autres hommes ». Dans la recherche quotidienne d'une satisfaction à ses besoins fondamentaux, chaque personne se différencie des autres. Le besoin structurant se crée sous l'influence de l'environnement socioculturel. Il apparaît, dans le champ perceptuel, comme une modalité qu'une personne privilégie dans sa recherche d'une satisfaction à un ou plusieurs besoins fondamentaux. Il n'a pas le caractère universel du besoin fondamental, d'où l'impossibilité de faire un inventaire des besoins structurants. Les paragraphes qui suivent donnent simplement des exemples, qui permettront de dégager progressivement les caractéristiques du besoin structurant. Lorsqu'on considère cet aspect de la motivation humaine, on peut dire que « chaque homme est semblable à certains autres ». Les besoins structurants peuvent donner lieu à des typologies qui regroupent des individus ayant une même structure motivationnelle : les amateurs de bons vins, de rencontres sociales, de jeux vidéo, de lecture ; les fous de jazz, de peinture, d'amour, de désir ; les maniaques de la propreté, de l'ordre, de bandes dessinées ou de mots croisés ; les clubs de toutes sortes, etc.

Enfin, une caractéristique importante des besoins structurants est que, contrairement aux besoins fondamentaux, aucun d'entre eux n'est essentiel au développement d'une personne. Les frustrations peuvent parfois être intenses, comme la frustration que suscite la disparition d'une personne aimée qui comblait le besoin de considération, mais la santé mentale n'est pas compromise. Au contraire, l'effet attendu de la tendance à l'actualisation est précisément le développement de nouvelles structures motivationnelles pour répondre d'une autre façon au besoin fondamental en question. Le chapitre IX, qui traite du changement, fournira plus de détails à ce sujet.

Sur le plan physique

Des exemples de besoins structurants, sur le plan physique, sont faciles à trouver dans notre contexte socioculturel. Compte tenu de l'organisation sociale, la personne apprend à répondre à ses besoins physiques selon une organisation spatiotemporelle très précise. Au début de son existence, par exemple, l'enfant peut boire aux quatre heures. Très tôt, en Amérique du Nord, on lui apprend à suivre un rythme qui se concrétise dans la modalité des trois repas par jour, si bien que la plupart des personnes qui nous entourent ressentent le besoin de manger quelque temps après leur lever, vers le milieu et vers la fin de la journée. Une telle organisation varie certainement d'un pays à l'autre et à plus forte raison d'une culture à l'autre, mais, chez l'individu qui a fait cet apprentissage, on peut effectivement prédire l'émergence de son besoin de manger et prédire le comportement qui en découle. Il en est ainsi du besoin de sommeil et des besoins de détente physique (week-ends, congés, vacances, etc.).

Les facteurs qui influent sur la formation des besoins structurants ne sont pas toujours aussi bien définis et ils n'ont pas toujours la même importance. À l'intérieur d'une culture donnée, par exemple, tel individu développe un fort besoin structurant d'exercices physiques, qui exigent une ou deux heures par jour, alors que tel autre se contente de l'exercice qu'il fait normalement au cours de ses allées et venues, sans acquérir de besoin particulier à ce sujet.

Cet exemple permet d'expliciter une particularité du besoin structurant. Prenons deux individus qui, à un moment précis, pour des raisons de santé, décident de faire trente minutes de jogging par jour. Chez le premier, supposons un besoin structurant d'exercices physiques : le jogging est alors un comportement qui lui permet effectivement de satisfaire ce besoin. Chez le second, supposons l'absence d'un tel besoin structurant : l'organisme éprouve sans doute un besoin fondamental d'une meilleure oxygénation, mais aucune structure motivationnelle ne commande des comportements spécifiques susceptibles de combler ce besoin de l'organisme. L'individu, dans ce deuxième cas, a décidé par hypothèse de faire du jogging sous l'influence d'une publicité qui vante les bons effets de cette pratique. On peut dès lors prédire que le premier persistera dans son programme de conditionnement et que le second va l'interrompre à brève échéance, à moins, bien sûr, qu'il n'acquiert, à la longue, un besoin structurant duquel résultera par la suite le comportement en question. C'est l'histoire de toutes les résolutions non tenues : elles ne sont pas suivies parce qu'elles ne conduisent pas à la satisfaction d'un besoin de la personne.

Le besoin de fumer et le besoin d'alcool sont aussi des exemples de besoins structurants ; ces exemples permettent de souligner que le besoin structurant, même s'il est généralement issu des besoins fondamentaux, n'est pas toujours favorable à l'actualisation de la personne. On ne peut affirmer, en effet, que l'influence d'une culture ou d'un environnement spécifiques contribue *a priori* à l'actualisation de la personne. Le besoin de fumer, par exemple, peut se développer à l'adolescence comme un moyen, pour l'adolescent, de se valoriser – et donc d'être aimé par ses pairs – dans une sous-culture où fumer est le propre de l'adulte. Par la suite, ce besoin structurant peut persister et commander un comportement dont le but est devenu le plaisir ou la détente, même si la motivation initiale est disparue. Il peut même prendre une importance telle dans le champ perceptuel d'une personne qu'il devient une entrave à son entreprise d'actualisation. Le chapitre IX, qui traite du changement à l'intérieur du champ perceptuel, fournira les éléments pour résoudre les conflits qui naissent de besoins contradictoires.

Une remarque a déjà été faite plus haut au sujet du besoin de sécurité dont parle Maslow (1954). Selon la perspective adoptée ici, ce besoin apparaît comme un besoin structurant, acquis dans un contexte culturel où les conditions de survie ne sont pas assurées automatiquement. Il en est ainsi d'ailleurs du besoin de posséder, qui ne semble pas inné, mais acquis pour obtenir la sécurité dont parle Maslow. On voit ici l'influence qu'exerce l'environnement sur la formation des besoins structurants. C'est d'ailleurs ce phénomène que mettent à profit les publicitaires qui cherchent à « créer des besoins » dans le champ perceptuel des consommateurs auxquels ils s'adressent.

Dans le domaine affectif

Dans le domaine affectif, la même distinction peut être faite entre le besoin fondamental de considération, qui est inné, et les modalités qui, sous l'influence socioculturelle, permettent à certains individus de répondre à ce besoin fondamental. Dans chaque société, en effet, des institutions influencent les individus dans l'acquisition de besoins structurants sur le plan affectif. L'institution du mariage est un exemple assez répandu. Chaque individu apprend, sous l'influence de son milieu, qu'une relation permanente avec une personne de l'autre sexe est un moyen de satisfaire son besoin fondamental de considération. À l'âge où commencent les fréquentations, bon nombre d'adolescents et d'adolescentes développent ainsi le besoin structurant d'une relation hétérosexuelle stable qui se concrétise chez eux dans la recherche d'un partenaire en vue de former un couple et de fonder une famille. Aussi répandu soit-il, le besoin structurant d'une relation hétérosexuelle stable n'est pas universel. Le comportement de la fréquentation ne sera pas toujours commandé, d'ailleurs, par un besoin structurant de vivre à deux. On voit, en effet, apparaître chez des individus un besoin structurant de varier leurs relations affectives ; dès lors, on peut prédire qu'ils ne fréquenteront pas une même personne au-delà de quelques mois ou qu'ils mettront un terme à la relation sitôt qu'un projet de vie conjugale se dessine. D'autres personnes développeront plutôt une structure motivationnelle de type homosexuel : leur recherche d'un lien stable ou, à l'inverse, d'une variété d'échanges affectifs sera guidée par des besoins structurants différents de ceux qui ont été mentionnés plus haut.

Un autre exemple de structure motivationnelle dans le domaine affectif est le besoin d'amitié. Le besoin d'avoir de nombreux amis ou celui d'avoir un ou quelques amis intimes sont deux modalités qui se développent chez certaines personnes dans leur recherche d'une réponse au besoin fondamental de considération. Cet exemple de l'amitié permet de souligner un autre aspect du besoin structurant : son caractère partiel. Aucun des besoins structurants ne peut à lui seul mobiliser toute l'énergie biologique. Cela est vrai lorsqu'on pense à la variété des besoins fondamentaux, mais cela est vrai également à l'intérieur d'un domaine particulier. Par exemple, le besoin structurant d'un lien hétérosexuel stable peut coexister avec un besoin structurant d'amitié. À cet égard, il semble que le besoin de fidélité conjugale soit lui aussi un besoin structurant qui n'est qu'une modalité parmi d'autres pour satisfaire le besoin de considération (ainsi que d'autres besoins sans doute). C'est en vertu d'un choix que des individus, pour toutes sortes de raisons, s'accordent mutuellement une certaine exclusivité affective, au chapitre des échanges sexuels, par exemple, alors que d'autres y voient une restriction dans leur recherche de considération.

Mentionnons enfin le besoin de procréer comme autre exemple de besoin structurant. Tout en reposant sur des besoins fondamentaux, soit le besoin de considération et le besoin de compétence, il peut difficilement être interprété comme la manifestation d'un *instinct* maternel ou paternel. Ce besoin est acquis dans un contexte socioculturel précis.

Dans le domaine de l'action

Tous les hommes ont un besoin de compétence ; certains ont acquis des besoins structurants de création artistique, de création littéraire, de production manuelle, de production intellectuelle, de production scientifique, de production professionnelle, etc. Ce sont là des modalités par lesquelles une personne satisfait son besoin fondamental de produire ou de créer.

L'observation quotidienne d'un milieu de travail nous permet de distinguer un individu qui travaille sous l'impulsion continuelle d'un besoin structurant d'un autre qui travaille pour gagner l'argent qu'il lui faut pour vivre, mais sans avoir développé un besoin structurant à l'égard de son travail. Le premier travaille par goût et retire une satisfaction évidente de ce qu'il produit ; l'autre s'ennuie au travail, vit dans l'attente du week-end ou des vacances où il pourra donner libre cours à sa créativité dans l'exercice d'un hobby ou dans des activités de loisir. On fait spontanément une telle distinction lorsqu'on parle d'un professionnel « qui a son métier dans le sang » et d'un autre « qui ne semble pas à sa place ».

À mesure que la liste des besoins structurants s'allonge, on voit également augmenter les possibilités de conflit dans l'ensemble de la structure motivationnelle d'une personne. La personne mariée, par exemple, qui est animée d'un besoin structurant d'amour conjugal et d'un besoin structurant de rendement professionnel risque de vivre un conflit du fait que la satisfaction d'un besoin s'oppose à la satisfaction de l'autre. Il est probable qu'elle devra faire des choix douloureux pour assurer la satisfaction simultanée de ces deux besoins ou qu'elle devra sacrifier la satisfaction de l'un ou l'autre.

Dans le domaine de la signification

Le processus qui entraîne l'émergence de besoins structurants dans la recherche d'une signification est semblable aux processus déjà décrits pour les autres domaines. L'environnement socioculturel fournit à chaque personne une nourriture abondante pour répondre à son besoin de cohérence. Les encyclopédies de toutes sortes, les livres, les revues, la littérature, la science, la religion, la philosophie, voilà autant de véhicules de la culture dont dispose l'individu qui cherche à répondre à son besoin de cohérence.

Devant cette multitude de stimuli, chacun développe une structure motivationnelle qui lui est propre. Certains acquièrent un besoin de lecture qui commande un comportement très précis. Des individus vont se réserver, à chaque semaine, quelques heures de lecture pour satisfaire le besoin structurant de type culturel. Pour l'un, c'est un besoin de culture générale, pour l'autre, un besoin de culture scientifique, pour l'autre encore, un besoin de culture religieuse, etc. Tel autre individu développera plutôt un besoin structurant axé sur le cinéma ou le théâtre, se réservant le temps voulu pour aller au cinéma ou à des représentations théâtrales à chaque semaine. De façon plus précise encore, la structure motivationnelle établie va guider le choix du genre de film. Deux fervents de cinéma peuvent être dotés de structures motivationnelles différentes : pour l'un, c'est un besoin de détente qui se rattache à une motivation d'ordre physique; pour l'autre, c'est un besoin culturel qui répond à une recherche de signification.

Ce dernier exemple illustre une nouvelle particularité du besoin structurant: sa polyvalence. Bien que parfois un besoin structurant puisse se rattacher directement et exclusivement à un besoin fondamental particulier, de nombreux besoins structurants sont polyvalents et servent à la satisfaction de plusieurs besoins fondamentaux. C'est le cas d'une relation amoureuse qui peut permettre la satisfaction d'un besoin sexuel et d'un besoin affectif; c'est le cas d'une production scientifique ou artistique qui peut répondre aux besoins de compétence et de cohérence; c'est le cas également d'un besoin structurant de compétence que l'on comblera dans un milieu de travail qui permet de socialiser.

L'interprétation du besoin religieux à la lumière de la grille actuelle appelle quelques commentaires. Dans la théorie de la motivation présentée ici, le besoin religieux est considéré comme un besoin structurant acquis dans un contexte culturel par des individus en quête de signification. Comme tous les besoins structurants, il devient une modalité par laquelle un individu satisfait un besoin fondamental, ici le besoin fondamental de donner un sens à sa vie (cohérence). On observe, dans le domaine religieux, deux types de comportements: certains agissent par conviction alors que d'autres se conforment à des normes qu'ils n'ont pas intégrées dans leur structure motivationnelle. Ce n'est évidemment pas le rôle du psychologue de déterminer si l'on doit, dans une culture donnée, encourager, voire exiger, l'émergence d'un tel besoin structurant et en faire l'objet d'une éducation dirigée. C'est son rôle, toutefois, de critiquer le caractère fondamental, donc quasi absolu, que l'on attribue faussement au besoin religieux et de le relativiser si les données le permettent. C'est cette dernière position qui est adoptée ici au sujet du besoin religieux. Les faits disponibles ne permettent pas de conclure qu'une personne athée est en moins bonne santé mentale que si elle était croyante, ce qui serait la conclusion logique si l'on décidait que le besoin religieux est un besoin fondamental.

En résumé

Les quelques exemples de besoins structurants que nous venons de donner ont permis de mettre en évidence certaines caractéristiques de la structure motivationnelle d'un individu. En résumé, on peut dire que le besoin structurant :

- est acquis et non inné ;
- se développe progressivement et lentement dans l'interaction entre l'individu et son environnement ;
- n'est pas directement observable (c'est-à-dire se situe dans le champ perceptuel) ;
- peut être satisfait de plusieurs façons ;
- peut être plus ou moins important dans la vie d'une personne ;
- est polyvalent et peut servir à la satisfaction de plusieurs besoins fondamentaux ;
- ne peut absorber de façon exclusive l'énergie biologique ;
- n'est pas essentiel, dans sa particularité, au développement d'une personne ;
- n'est pas nécessairement favorable à l'actualisation de la personne et peut être source de conflits intrapsychiques ou interpersonnels ;
- se prête à des typologies regroupant des personnes qui ont le même besoin.

Le terme « structurant » qui qualifie cette catégorie de besoins fait référence à la structure qui s'est développée dans le champ perceptuel d'une personne, structure qui, d'une part, canalise l'énergie biologique et qui, d'autre part, commande l'émergence de besoins situationnels, ainsi que le comportement qui en découle.

Les besoins situationnels

La troisième catégorie de besoins, désignés comme des besoins situationnels, permet de raffiner davantage la grille d'analyse et de suivre, dans la vie quotidienne, le processus de transformation de l'énergie biologique en comportements spécifiques. Le besoin situationnel est le plus directement identifiable dans le champ perceptuel. Si je pose la question suivante à un individu que je rencontre dans la rue : « Pourquoi fais-tu actuellement ce que tu fais ? » ou « Qu'est-ce qui te pousse à agir de telle ou telle façon ? », il est probable que je trouverai dans sa réponse des éléments qui me renseigneront sur sa structure motivationnelle. Il est peu probable, cependant, que l'individu utilisera les concepts qui ont servi à définir les besoins fondamentaux ou structurants pour décrire son champ perceptuel. L'expérience immédiate telle qu'elle est vécue est ordinairement plus complexe que cela. L'individu que j'arrête dans la rue vers midi me répondra peut-être « parce que j'ai faim » et non « parce que j'ai un besoin structurant de manger trois fois par jour ».

Le besoin situationnel est l'expérience motivationnelle telle qu'elle est vécue « ici et maintenant » par une personne donnée. Dans la séquence logique, il apparaît à la fin, mais c'est en fait le point de départ de l'analyse : c'est grâce à l'inventaire des besoins situationnels d'une personne que l'on peut reconstituer sa structure motivationnelle. Sur le plan scientifique, la collecte des données qui permettent au psychologue perceptuel d'élaborer une théorie de la motivation se fait également au niveau des besoins situationnels.

Dans la figure 2, quelques exemples, au hasard, servent à caractériser le processus qui, en vertu de la tendance à l'actualisation (symbolisée à gauche par la flèche), transforme l'énergie biologique en besoins situationnels, puis en comportements observables : j'ai faim, j'ai sommeil, j'ai la bougeotte, j'ai le goût de voir Sylvie, je m'ennuie de Jérôme, je veux une sortie de fin de semaine pour ma famille, je souhaite finir tel document, je veux qu'on me fiche la paix pour travailler à ma nouvelle sculpture, je veux du temps pour mon hobby, j'ai le goût d'un bon livre, je rêve d'une nouvelle expérience scientifique, j'ai besoin de prier, etc. Il est évident qu'à ce niveau, encore plus qu'au niveau des besoins structurants, toute liste exhaustive devient impossible, non seulement en raison de la variété des besoins situationnels, mais à cause de leur nature mobile et non permanente. Le besoin éprouvé par un individu à un moment donné est un phénomène qui ne se produit qu'une fois dans son histoire. Une personne peut dire des milliers de fois « j'ai faim », mais, en ce qui concerne le besoin situationnel, elle ne peut dire qu'une seule fois : « J'ai faim aujourd'hui, à midi, le 28 août 2004. » Ce n'est qu'en observant des régularités et des similitudes entre plusieurs besoins qu'on pourra induire la structure motivationnelle plus permanente qui caractérise une personne en particulier. Enfin, mentionnons que bon nombre de besoins situationnels sont formulés en des termes qui prêtent à toutes sortes d'interprétations. Par exemple : « J'ai le goût de couper cette fleur sauvage. » Il se peut que ce goût soit le signe d'un besoin structurant : besoin de collectionner, besoin esthétique, besoin de créer une atmosphère agréable dans ma maison. Il me faudra tenir compte de plusieurs goûts semblables avant de pouvoir induire un besoin structurant. Il se peut aussi qu'un besoin émerge spontanément dans mon champ perceptuel sans lien direct avec un besoin structurant particulier : son caractère unique échappe alors à toute analyse de la structure motivationnelle. Nous verrons plus loin que la personne qui est engagée dans un processus de croissance voit émerger dans son champ perceptuel une multiplicité de besoins situationnels. Ceux-ci peuvent appartenir à une structure motivationnelle ou être simplement une manifestation de la tendance à s'actualiser, l'expression, par exemple, de la joie de vivre, qui caractérise une personne en santé. C'est donc dire que la grille proposée ici, comme toute grille d'analyse de la motivation, ne sera jamais exhaustive par rapport aux besoins situationnels : on ne pourra jamais réduire le phénomène de la motivation humaine à quelque catégorie que ce soit ; tout au plus peut-on se servir d'une telle grille pour repérer les principaux phénomènes motivationnels.

CHAPITRE IV

LA CROISSANCE

La personne se développe et s'actualise à mesure que son énergie biologique est transformée en comportements, selon des processus conscients et inconscients que dirige la tendance à l'actualisation. La description de cette tendance à l'actualisation a permis déjà de souligner que la croissance personnelle ne se fait pas à la façon d'un automatisme. Le phénomène de croissance dépend en partie de la qualité de l'environnement. Dans ce chapitre, après avoir vu en quoi consiste le processus de croissance et examiné les éléments défensifs qui peuvent l'entraver, nous nous intéresserons aux conditions qui, dans l'entourage d'une personne, favorisent la croissance de celle-ci.

C'est au behaviorisme et à la psychanalyse surtout que l'on doit les premières études qui ont traité du développement psychologique de la personne. Ces études portaient sur le processus de conditionnement (Watson, 1926) et sur l'influence des premières relations entre parents et enfants (Freud, 1961). On y attribuait la croissance de l'individu ou ses blocages à la structuration de processus dont la personne n'est pas consciente (voir le modèle de la figure 1 dans le premier chapitre). La psychologie perceptuelle, pour sa part, cherche, à l'intérieur du champ perceptuel de la personne, les manifestations du processus de croissance et des éléments défensifs.

Le processus de croissance

L'expression « processus de croissance » est synonyme ici de processus d'actualisation : elle désigne un type de transformation de l'énergie biologique en comportements qui contribuent au maintien et au développement de la personne. Ces transformations s'opèrent, pour une bonne part, de façon spontanée, sans qu'on ait à s'en préoccuper. Ainsi, bien malin serait celui qui pourrait identifier tout ce qui contribue à sa santé physique et psychologique ! Malgré qu'il échappe, en partie, au champ de la conscience, ce processus n'en demeure pas moins identifiable dans le champ perceptuel. L'expérience de bien-être physique, par exemple, témoigne d'une prise de conscience de processus biologiques et physiologiques que l'on ne peut percevoir directement. Par ailleurs, le champ perceptuel n'est pas statique ; il est considéré comme un ensemble de processus de transformation de l'énergie. L'action du psychisme en ce qui concerne la santé et la maladie n'est plus un mystère pour personne.

Le processus de croissance dans son ensemble est donc à la fois conscient et non conscient : il comprend tout ce qui, à l'intérieur de la personne, contribue à sa santé physique et psychologique. Une fois reconnu le lien entre les éléments conscients et non conscients du processus d'actualisation, c'est à l'intérieur du champ perceptuel que l'on en cherchera les principales caractéristiques. La question qui guide cette recherche est la suivante : quels sont les phénomènes ou les expériences qui permettent de conclure que telle personne est engagée dans un processus de croissance ? On peut également procéder de façon plus empirique et identifier, comme Maslow (1954) l'a fait, des individus qui, dans leurs milieux respectifs, sont considérés comme des personnes actualisées, puis chercher ce qui les caractérise. Les données recueillies au moyen de ces méthodes ont conduit à distinguer trois composantes du processus de croissance: l'ouverture à l'expérience, la prise en charge et l'action sur l'environnement. Ce modèle a été exposé dans un autre ouvrage (St-Arnaud, 1996).

L'OUVERTURE À L'EXPÉRIENCE

L'expression « ouverture à l'expérience » est utilisée par Rogers pour désigner « un état psychique qui permet à tout excitant de parcourir l'organisme tout entier sans être déformé [...] autrement dit qu'il s'agisse d'excitants externes (configurations de lignes, de masses, de couleurs ou de sons affectant les nerfs afférents) ou d'excitants internes (traces de mémoire, sensations de peur, de plaisir, de dégoût, etc.) l'organisme est complètement disponible à l'effet produit » (Rogers et Kinget, 1973, p. 190). On fait référence à cette caractéristique lorsqu'on parle d'une personne qui est « en contact avec elle-même ».

L'ouverture à l'expérience suppose, chez la personne engagée dans un processus de croissance, une attitude de « considération positive inconditionnelle » à l'égard de sa propre expérience. On doit cette expression à Rogers. Selon cet auteur, « il y a considération positive inconditionnelle de soi quand le sujet se perçoit d'une manière telle que toutes les expériences relatives à lui-même sont perçues, sans exception, comme également dignes de considération positive » (Rogers et Kinget, 1973, p. 195). Notons que cette attitude diffère totalement des jugements de valeur qui interviennent par la suite, lorsque la personne cherche à intégrer à son expérience première les valeurs et principes qui guident son action. L'attitude décrite ici est un préalable à tout jugement de valeur: c'est une attitude d'accueil *a priori* de ce qui apparaît dans le champ perceptuel ; c'est une valorisation spontanée de cette expérience. L'enfant qui exprime librement ce qu'il vit illustre bien ce processus. Il n'a pas encore atteint la phase délicate où il devra critiquer son expérience à partir des normes de son milieu ; pour lui, l'ouverture à l'expérience se fait spontanément.

Pour la personne engagée dans un processus de croissance, cet accueil de la matière première qui surgit dans le champ perceptuel se fait sans que celle-ci devienne objet de peur, de honte, de dégoût ou de culpabilité. Selon une vieille expression employée par Durand-Dassier (1971), les « ressentis » – traduction intéressante du terme anglais *feelings* – constituent le tissu même de la personne. Nous verrons plus loin comment l'élaboration d'un schème de valeur et l'intervention des normes extérieures peuvent se faire sans détruire cette ouverture à l'expérience et sans porter atteinte à l'attitude de considération positive inconditionnelle à l'égard de soi-même.

Une autre manifestation de cette ouverture à l'expérience est l'émergence des besoins fondamentaux tels qu'ils ont été décrits au chapitre III. Une personne qui s'actualise est une personne qui éprouve, d'une façon ou d'une autre, des besoins physiques et des besoins psychologiques (besoins de considération, de compétence et de cohérence). On peut voir aussi la capacité de nommer ses besoins structurants et ses besoins situationnels comme une manifestation du processus de croissance.

La prise en charge

La deuxième caractéristique du processus de croissance est la capacité, chez la personne qui s'actualise, de disposer librement des éléments qui abondent dans son champ perceptuel. En fait, l'ouverture à l'expérience se fait normalement à travers des structures multiples qui, à l'intérieur du champ perceptuel, canalisent l'énergie biologique, l'orientent et la contrôlent. Ces structures permettent à la personne d'être le centre de décision quant à son propre comportement.

Le processus de contrôle est parfois considéré, par les amateurs de psychologie, comme un obstacle au développement personnel. En réalité, on fait alors référence à un abus de contrôle ou à un contrôle exercé de façon artificielle, les normes extérieures n'étant pas assumées par la personne. La plupart des théories contemporaines font la distinction entre des mécanismes de défense tel le refoulement, qui exerce un contrôle rigide et stéréotypé, et le contrôle qu'exerce consciemment une personne capable de disposer librement de son énergie biologique. Dans le contexte de la psychologie perceptuelle, on parle de mécanisme d'autorégulation ou de contrôle organismique pour désigner ce dernier processus.

Le contrôle n'est qu'un aspect particulier de la deuxième composante du processus de croissance ; la prise en charge englobe des éléments de contrôle, mais aussi toute activité consciente par laquelle une personne analyse, critique, évalue son expérience et fait des choix particuliers. Ici plus particulièrement, il importe d'écarter les dichotomies qui opposent souvent raison et impulsions. Selon le modèle de la personne auquel se réfère la psychologie perceptuelle, le comportement d'une personne ne découle pas des seuls programmes innés ou acquis ; le choix est un facteur déterminant. C'est tout l'individu qui ressent les choses, c'est tout l'individu qui se prend en charge et fait des choix. Ces choix sont certes soumis à des contraintes – liées en particulier aux besoins, aux processus inconscients et à l'effet conditionnant de l'environnement –, mais, selon l'hypothèse de la psychologie perceptuelle, l'intégration de tous ces éléments s'opère dans le champ perceptuel. La personne qui s'actualise vit l'expérience de sa prise en charge et endosse, en conséquence, la responsabilité de ses choix. Son agir porte la signature du JE, ce qui n'exclut pas, à l'occasion, un sentiment d'être plus ou moins libre dans cette prise en charge. Le processus de croissance tel qu'il est décrit théoriquement paraît simple et univoque ; en pratique, la transformation de l'énergie biologique en comportements est un mélange de processus de croissance et d'éléments défensifs. Le terme « liberté » est souvent employé pour départager ce qui contribue aux choix d'une personne. On dit qu'elle agit librement lorsqu'elle est ouverte à son expérience, qu'elle reconnaît les contraintes matérielles et psychologiques qui influent sur son comportement et qu'elle assume la responsabilité de ses décisions. On parle, au contraire, d'un manque de liberté chez la personne qui ne parvient pas à une telle prise en charge, celle qui vit, par exemple, sous la dépendance totale des influences extérieures ou perd sa capacité de faire des choix en raison d'une maladie. Pour une analyse plus poussée du processus de choix, voir St-Arnaud (1996).

L'action sur l'environnement

La troisième composante du processus de croissance est l'action sur l'environnement. La personne qui reste ouverte à son expérience et qui se prend en charge est en mesure de faire des choix, comme on l'a vu. Les choix pourraient demeurer des velléités ou des désirs inassouvis si cette personne ne passait pas à l'action pour concrétiser ses choix.

Le bébé, lorsqu'il éprouve un besoin, l'exprime fortement en espérant que d'autres viendront répondre à son besoin. C'est déjà un premier degré d'action, approprié à sa situation de dépendance. Chez l'adulte, les moyens d'action sur l'environnement sont beaucoup plus nombreux ; plus la personne s'actualise, plus elle apprend à puiser dans son environnement les éléments nécessaires à sa croissance. Un tel apprentissage peut prendre la forme d'habiletés manuelles ou d'habiletés intellectuelles ; il peut se réaliser dans le domaine de la communication, dans un métier, dans l'exercice d'une profession, etc. C'est dans une action autonome qu'une personne s'actualise.

La personne qui vit un processus de croissance s'attribue la capacité de juger et de décider ce qui est bon pour elle-même. Elle ne reconnaît à personne une autorité supérieure à la sienne en ce qui concerne son développement personnel. Par ailleurs, la personne qui s'actualise demeure consciente de ses limites et fait appel aux autres pour les dépasser. Elle peut, par exemple, recourir à des experts qui l'aideront à mieux agir sur l'environnement ; mais jamais l'avis d'un expert ne la dispensera d'un choix personnel et d'un sentiment de responsabilité face à son action.

La manifestation la plus forte de cette troisième composante du processus de croissance est un sentiment de responsabilité personnelle. La personne qui s'actualise se considère comme la première responsable de son actualisation et de la satisfaction de ses besoins fondamentaux. Tout en reconnaissant les limites physiques, psychologiques, sociales et culturelles de son action sur l'environnement, cette personne n'est ni dépendante de son entourage ni en révolte contre lui : elle est autonome ; elle négocie avec son environnement les éléments nécessaires à son propre développement.

En résumé

Les façons de décrire le processus de croissance sont nombreuses et des auteurs insistent tantôt sur un aspect, tantôt sur un autre. Les uns essaient d'élaborer une synthèse psychologique autour du concept d'actualisation, alors que d'autres en traitent de façon marginale. Dans la description qui précède, trois caractéristiques ont été retenues et peuvent se résumer dans trois termes : recevoir, choisir et agir. La personne qui s'actualise ou qui est engagée dans un processus de croissance est une personne qui a accès à son monde intérieur : elle reçoit toute l'information qui surgit dans son champ de conscience sans la déformer ; elle se prend en charge dans les choix qu'elle fait ; enfin, elle agit sur son environnement pour y puiser les éléments nécessaires à son actualisation.

Les processus défensifs

Les psychologues qui ont le plus traité des processus défensifs l'ont fait dans une perspective de psychopathologie, leur objectif étant d'expliquer la maladie mentale (voir American Psychiatric Association, 1996). Tel n'est pas l'objectif visé ici. Les processus défensifs retenus sont ceux qui font obstacle aux trois composantes du processus de croissance : l'ouverture à l'expérience, la prise en charge et l'action sur l'environnement.

Par définition, un processus défensif fait obstacle au processus de transformation de l'énergie biologique en comportements utiles à l'actualisation. Il a pour effet de priver la personne des éléments dont elle a besoin pour se développer ou de faire dévier le processus naturel vers des comportements qui nuisent à l'actualisation de la personne. Plus précisément, on peut observer dans le champ perceptuel des manifestations qui sont la contrepartie négative des trois composantes du processus de croissance : l'inhibition, l'envahissement du champ perceptuel et l'inertie. Contrairement aux trois composantes du processus de croissance, les phénomènes défensifs ne s'enchaînent pas les uns aux autres. Par exemple, l'inhibition ne conduit pas nécessairement à un envahissement du champ perceptuel et une personne peut expérimenter l'inertie sans avoir éprouvé les autres phénomènes : on parle de processus défensifs au pluriel et non d'un processus défensif unique.

L'INHIBITION

Se posant comme l'inverse de l'ouverture à l'expérience, première composante du processus de croissance, l'inhibition est un premier processus défensif. Chez celui qui s'actualise, des stimuli externes et internes activent l'énergie biologique qui se transforme en expériences abondantes et variées. Chez celui qui vit ses rapports avec l'environnement selon un mode défensif, l'énergie biologique semble étouffée. Il en résulte un affaiblissement des processus conscients, et, lorsque des expériences de toutes sortes se présentent dans le champ perceptuel, la personne concernée ne parvient pas à les symboliser correctement. La question de la symbolisation sera traitée au chapitre VIII ; retenons pour l'instant un premier obstacle, l'incapacité d'avoir accès à son monde intérieur, de recevoir les informations en provenance de son propre organisme.

L'inhibition évoque une action qui consiste à freiner ou à arrêter. S'agissant du développement d'une personne, c'est l'énergie biologique qui est touchée par cette action de freinage. Quels que soient les mécanismes par lesquels s'exerce ce freinage, la personne qui vit un tel processus se sent paralysée, diminuée, incapable d'avoir accès à ce qui se passe en elle ; elle peut éprouver le sentiment de ne pas être elle-même et d'être soumise à des forces obscures sur lesquelles elle n'a aucune prise.

L'ENVAHISSEMENT DU CHAMP PERCEPTUEL

Un deuxième processus défensif est l'expérience d'envahissement qui rend difficile, voire impossible, la prise en charge. La personne se sent incapable de s'approprier ou d'intégrer dans son image d'elle-même ce qui surgit dans le champ de sa conscience. Les expressions les plus courantes qui en témoignent sont: « Je n'y peux rien », « Je ne peux rien faire », « Je suis impuissant face à cette anxiété », etc. On peut parler ici d'un « envahissement » au sens littéral du terme: l'énergie biologique « occupe de façon abusive » le champ perceptuel sans que la personne puisse elle-même canaliser et diriger cette énergie ni la transformer en comportements qui facilitent sa croissance. Dans certains cas plus graves, c'est franchement la panique ou l'éclatement pulsionnel, dont les différentes manifestations – hallucinations, délires, agitations – sont l'objet de la psychopathologie. La plupart du temps, les manifestations sont plus légères: fatigue de vivre, incapacité d'aimer et d'être aimé, méfiance à l'égard d'autrui, sentiment d'être inutile, non productif ou non créateur, moche, ennuyeux pour soi et pour les autres, incapacité de donner un sens à sa vie et à l'existence en général.

L'INERTIE

On parle d'inertie lorsqu'une personne se sent inapte à agir sur son environnement pour y puiser les éléments nécessaires à son actualisation. Souvent, la personne se trouve dans un état de dépendance, voire de soumission, envers son environnement. Inertie face aux autres, dépendance à l'égard de l'opinion d'autrui, impuissance qui rend la négociation impossible. Ces phénomènes sont souvent vécus comme une soumission à la fatalité. Les structures sociales deviennent particulièrement contraignantes pour l'individu chez qui un tel processus défensif est à l'œuvre; il perd sa capacité d'agir de façon autonome; il devient conformiste et sa conduite est dictée par les attentes des autres à son endroit.

La dépendance envers l'environnement n'est qu'une des manifestations de cette inertie. L'attitude qu'on appelle « contre-dépendance » en est aussi une manifestation. N'ayant pas la capacité de négocier avec l'environnement, la personne cherche à minimiser les contraintes de cet environnement en adoptant l'attitude extrême : le rejet en bloc. L'incapacité d'agir de façon efficace sur l'environnement se traduit souvent par un comportement verbal de type contestataire, mais dont la portée est nulle et sans effet en ce qui concerne la satisfaction des besoins psychologiques fondamentaux. C'est un processus fréquent chez l'adolescent qui commence à se prendre en charge, mais qui se sent fragile par rapport à la nouvelle image de lui-même qu'il développe. Il parle volontiers de transformer l'univers entier, faute de pouvoir encore agir efficacement sur son environnement. Ce dernier exemple permet de souligner qu'un processus défensif peut être un obstacle temporaire dans le processus de croissance. Chez l'adolescent, on peut en effet considérer l'idéalisme comme une période de transition. L'inertie qu'il entraîne est un moindre mal puisqu'il permet à cet adolescent d'affermir son identité, se préparant ainsi à une négociation éventuelle qui se fera sous le signe de l'autonomie.

En résumé

Les processus défensifs empêchent l'énergie biologique de se transformer en comportements utiles au maintien et au développement de la personne. Ils affectent chacune des composantes du processus de croissance : l'inhibition fait obstacle à l'ouverture à l'expérience ; l'émergence d'expériences désagréables qui envahissent le champ perceptuel fait obstacle à la prise en charge ; l'inertie empêche l'action efficace sur l'environnement pour répondre à ses besoins. Lorsque la personne prend conscience de ces processus, ils sont déjà en partie sous contrôle ; on les reconnaît comme des limites, mais celles-ci n'empêchent pas le processus de croissance de se poursuivre dans les zones qui leur échappent. Lorsque, par ailleurs, d'autres processus défensifs sont à l'œuvre en dehors du champ de la conscience, des symptômes de toutes sortes apparaissent et on peut difficilement les expliquer d'un point de vue perceptuel. C'est la psychopathologie qui prend ici la relève.

Les conditions de croissance

Les descriptions précédentes concernant le processus de croissance et phénomènes défensifs nous conduisent à la question suivante : quels sont les facteurs environnementaux qui peuvent faciliter le processus de croissance ? De façon générale, la théorie de la motivation exposée au chapitre III nous fournit une première réponse. En effet, s'il est vrai que la personne en voie d'actualisation éprouve, en plus des besoins physiques, un besoin de considération, un besoin de compétence et un besoin de cohérence, il est certain que plus l'environnement fournira les éléments nécessaires à la satisfaction de ces besoins, plus il sera propice à l'actualisation. De façon plus spécifique, les sciences de la santé nous renseignent avec de plus en plus de précision sur les qualités de l'environnement physique propices à l'actualisation de la personne sur le plan physique. Les psychologues et les psychosociologues, pour leur part, cherchent à déterminer les conditions qui, dans l'entourage d'une personne, favorisent sa croissance psychologique. Les chapitres V à VIII expliqueront en quoi les relations interpersonnelles chaleureuses, coopératives et heuristiques sont autant de moyens de favoriser le processus de croissance. Outre ces relations, trois facteurs ont été mis en évidence, qui constituent des conditions psychologiques de base pour susciter et maintenir un processus de croissance chez une personne. Ces conditions ont été définies par Rogers (1942), au tout début de sa carrière, comme un ensemble d'attitudes qui ont pour effet d'activer chez autrui un processus d'actualisation : ce sont l'authenticité, la considération positive inconditionnelle et la compréhension empathique. Ces concepts ont inspiré des centaines de psychologues de toute allégeance (voir Bohart et Greenberg, 1997). Par exemple, ils demeurent au centre des recherches sur l'alliance thérapeutique, qui vise à fournir à une personne les meilleures conditions pour se reprendre en charge (Horvath et Greenberg, 1994). Les titres retenus sont de Rogers et les considérations qui suivent se veulent une explicitation de ses idées ; toutefois, notre présentation prend en considération d'autres points de vue que celui de Rogers et ne peut remplacer la lecture des œuvres originales de cet auteur.

L'AUTHENTICITÉ

Plus l'environnement social dans lequel vit une personne sera composé de personnes authentiques, plus le processus de croissance de cette personne sera facilité. La notion d'authenticité est utilisée pour désigner un accord entre l'expérience et la symbolisation qui en est faite. Elle est différente de l'honnêteté, qui fait référence à l'accord entre les paroles et la pensée. Le manque d'authenticité – ou l'incongruence, en termes techniques – permet de mieux faire la distinction. Les messages non verbaux traduisent souvent un état de désaccord : une personne affirme qu'elle n'est pas fatiguée alors que tout son corps traduit une extrême fatigue. La personne ne ment pas lorsqu'elle affirme qu'elle n'est pas fatiguée. Elle ne vit pas la fatigue, toute son énergie étant mobilisée par une tâche importante. Ce n'est que plus tard qu'elle deviendra consciente de ce qui était évident pour son entourage.

Les notions d'authenticité ou d'inauthenticité sont relativement faciles à comprendre intellectuellement lorsqu'on les utilise pour évaluer l'état d'une autre personne. Elles deviennent très difficiles à manier lorsqu'on se les applique à soi-même. Par définition, l'absence d'authenticité est un processus non conscient, de sorte que personne ne peut affirmer, sans faire un abus de termes, qu'il est à ce moment précis inauthentique. Tout au plus peut-on être conscient de messages contradictoires, par exemple d'un écart entre ce qu'on pense et ce qu'on fait, mais la source de cet écart demeure inconsciente. On emploie parfois le terme inauthenticité pour désigner un désaccord entre le comportement verbal d'une personne et ce qu'elle ressent. Pour éviter la confusion, il semble préférable d'utiliser un vocabulaire plus précis en disant de cette personne qu'elle ment, qu'elle n'est pas de bonne foi ou qu'elle n'est pas sincère. Les termes authenticité et inauthenticité seront réservés pour désigner l'accord ou le manque d'accord entre l'expérience et la symbolisation intérieure qui en est faite.

Lorsque les paroles d'une personne ne cadrent pas avec les signaux non verbaux qu'elle envoie, il y a deux possibilités : selon une première hypothèse, cette personne est consciente de son expérience et sait très bien qu'elle ne dit pas ce qu'elle pense. Dans ce cas, elle est authentique, mais elle choisit de taire son expérience pour une raison ou une autre. Selon cette première hypothèse, nous devrions conclure que la personne est authentique mais non sincère. Contrairement à ce qui se produit lorsqu'il y a un manque d'authenticité, le manque de sincérité est reconnu comme tel dans le champ perceptuel de la personne : elle sait qu'elle ment, elle sait que ce qu'elle dit ne correspond pas à ce qu'elle vit. C'est un choix qu'elle fait de ne pas communiquer son expérience à autrui.

L'autre hypothèse, lorsque les paroles et le comportement non verbal ne semblent pas concorder, est qu'un processus d'inauthenticité intervient, la personne concernée ne pouvant symboliser adéquatement son expérience, en raison d'une réaction défensive. Le cas le plus frappant est le lapsus qu'une personne commet à son insu. La personne qui nie avoir dit un mot que tous ont entendu est sincère : elle ne sait tout simplement pas qu'elle a prononcé ce mot. Nous concluons qu'il y a un processus d'inauthenticité qui s'accompagne de la sincérité la plus totale. Rappelons ici le postulat du primat de la subjectivité exposé au chapitre II : le comportement d'une personne à un instant donné est fonction de la perception que cette personne a d'elle-même et de son environnement à cet instant donné. Même si, par hypothèse, une personne est inauthentique dans les faits, elle est parfaitement sincère dans son discours et s'étonne si on met en doute sa sincérité. Il arrive souvent qu'une personne accusée de manquer de sincérité ne dissimule absolument rien de ce qu'elle vit consciemment. Le feed-back serait plus efficace si on indiquait concrètement à cette personne ce qui est à l'origine d'un tel jugement, par exemple l'écart entre son comportement et son discours, plutôt que de l'accuser d'un manque de sincérité.

La difficulté à reconnaître, sur-le-champ et directement, les processus d'authenticité et d'inauthenticité entraîne plusieurs conséquences. En voici deux. La première est d'ordre culturel : depuis que les termes « congruence », « authenticité », « accord avec soi-même » se répandent dans le langage populaire, la confusion règne à ce sujet. Plusieurs emploient le terme authenticité pour désigner le phénomène décrit plus haut comme étant la sincérité. Ayant retenu de leurs lectures psychologiques que la personne équilibrée est celle qui accède à un maximum d'authenticité, ils en déduisent qu'il leur faut dire tout ce qui leur passe par la tête pour être « authentiques » et développer de bonnes relations interpersonnelles. Dans certains milieux, c'est même devenu une norme de dire tout ce que l'on ressent. Cette confusion a de graves répercussions, car l'absence de tout contrôle, au chapitre du comportement, est loin de faciliter le processus de croissance personnelle. Pour caricaturer, disons que la « diarrhée psychologique » n'a aucun rapport avec l'authenticité. Être authentique, c'est nommer correctement tout ce qui se passe en soi, selon le principe de l'ouverture à l'expérience défini plus haut ; pour ce qui est du choix de communiquer ou non son expérience à son interlocuteur, il ne saurait être régi par le principe du « tout ou rien ». Bien d'autres critères devront entrer en ligne de compte, ne serait-ce que le respect d'un interlocuteur que l'on pourrait blesser profondément par une prétendue authenticité mal comprise.

La seconde conséquence prend la forme d'une question : si l'authenticité et l'inauthenticité sont des processus auxquels je n'ai pas directement accès, puis-je savoir, dans une circonstance précise, si je suis authentique ou non ? La réponse à cette question sera approfondie au chapitre VIII, qui traite du processus de symbolisation ainsi que de la relation heuristique. Pour l'instant, retenons deux choses : 1) chacun a besoin des autres pour accéder à l'authenticité ou vérifier son degré d'authenticité ; 2) la connaissance de soi, à mesure qu'elle s'approfondit, permet à une personne de déceler des indices subjectifs qui l'aident à percevoir indirectement ses manques d'authenticité. L'absence d'authenticité, par exemple, s'accompagne des processus défensifs décrits plus haut. Chacun peut donc arriver à percevoir sa façon propre d'être défensif. Telle personne conclura qu'elle devient défensive lorsque, au cours d'une discussion, elle se trouve dans une telle fébrilité qu'elle a le sentiment que le sort de l'humanité dépend de l'acceptation de son point de vue. Telle autre éprouvera un malaise bien particulier lorsqu'elle sera inauthentique. Telle autre sera incapable de faire face à des remises en question de ses perceptions, etc. Chacun peut trouver ses indices à lui, avec l'aide des autres.

Jusqu'à présent, l'authenticité a été décrite pour elle-même. Voyons maintenant en quoi l'inauthenticité peut faire obstacle au processus de croissance et, à l'inverse, comment l'authenticité devient une condition de la croissance personnelle d'une autre personne. Supposons qu'un adulte, en présence d'un enfant turbulent, vive une expérience d'impatience très forte. Si l'expérience de cet adulte est symbolisée correctement, sans honte et sans reproche, celui-ci peut sans doute la contrôler et faire des choix nuancés concernant l'enfant. Tout en tenant compte de cette impatience, il peut l'intégrer dans un ensemble de valeurs plus vaste et agir en conséquence envers l'enfant. Ce qui importe ici pour la croissance de cet enfant, c'est qu'il ne soit pas rendu responsable de l'expérience vécue par l'adulte incapable de tolérer l'agitation et le bruit, à ce moment précis. Dans le cas d'inauthenticité de la part de l'adulte, il est probable que l'expérience d'impatience, rejetée du champ de la conscience, entraînera un rejet effectif de l'enfant qui, par sa turbulence, provoque cette expérience. Cet enfant percevra sans doute le rejet dont il est l'objet et conclura que ce qui se passe en lui à ce moment est mauvais. Pour peu qu'il se sente culpabilisé à cet instant, il commencera, lui aussi, à nier en lui-même les expériences qui ont pour conséquence un tel rejet.

Dans le contexte d'une relation interpersonnelle, on parle souvent du « double message » comme conséquence de l'inauthenticité. Ainsi, je peux affirmer verbalement à quelqu'un que je l'aime, alors que mon comportement non verbal lui communique exactement le contraire. Plus l'expérience que je vis face à une personne est identifiée correctement, plus je peux exercer un contrôle sur cette expérience et avoir un comportement cohérent face à l'autre. Dans le cas contraire, la méfiance apparaît, la communication se brouille et mon interlocuteur devient de plus en plus défensif.

La considération positive inconditionnelle

L'authenticité est une attitude qui permet à chacun de bien identifier ce qu'il vit face à lui-même et face aux autres ; elle confère aussi à la personne qui l'adopte une plus grande possibilité de choix et de contrôle sur son comportement. La seconde attitude, la considération positive inconditionnelle envers autrui, entraîne un genre de choix qui est de nature à favoriser le processus de croissance chez celui qui en bénéficie.

On a vu plus haut que la considération positive inconditionnelle à l'égard de soi-même est une attitude qui caractérise le processus de croissance. La même attitude est décrite ici, mais il s'agit, cette fois, de l'adopter à l'égard d'une autre personne. D'ailleurs, l'une ne va pas sans l'autre : la considération positive envers l'autre découle naturellement de la considération positive pour soi-même ; il est très difficile d'adopter cette attitude à l'égard d'autrui sans l'avoir d'abord à l'égard de soi-même.

La notion de considération positive inconditionnelle, comme la notion d'authenticité, a donné lieu à toutes sortes d'interprétations qui, dans le concret, ne sont pas propres à favoriser le processus de croissance. Mentionnons quelques-unes de ces interprétations, avant de préciser ce qu'est la véritable attitude de considération positive inconditionnelle.

Une première interprétation inadéquate consiste à voir la considération positive inconditionnelle comme une norme d'action à l'égard d'autrui. Plusieurs s'interdisent ainsi toute exigence personnelle envers autrui : sous prétexte que chacun est guidé par une tendance à l'actualisation, ils en déduisent qu'il faut éliminer tout sujet de discorde et même toute frustration pour que l'autre s'actualise. En conséquence, on cherche à créer un environnement qui exclut presque toute contrainte. Cela est possible dans certaines circonstances privilégiées, comme une entrevue de psychothérapie, mais c'est tellement contraire à la réalité quotidienne qu'un enfant, par exemple, qui serait soumis à un tel environnement pendant une longue période de sa vie risquerait d'être fort démuni au contact éventuel d'un environnement social normal. Cette attitude, qui a eu ses heures de gloire dans certains milieux éducatifs, tend heureusement à disparaître aujourd'hui. Cependant, elle semble persister au sein de plusieurs familles. L'enfant soumis à un environnement de type laisser-faire pourrait facilement devenir incapable d'affronter les obstacles qu'il rencontrerait inévitablement par la suite dans des milieux moins permissifs. Une telle interprétation, axée sur le laisser-faire, de l'attitude de considération positive inconditionnelle ignore un des principes énoncés précédemment, soit celui de l'autorégulation de l'organisme. La personne peut s'actualiser grâce au feed-back provenant de l'environnement et, dans bien des cas, grâce aux contraintes qu'elle rencontre dans ses nombreuses négociations avec son milieu.

Une deuxième interprétation, semblable à la première, mais allant plus loin que le laisser-faire, prend la forme d'une approbation systématique du comportement de l'autre. On oublie que la considération positive est sans rapport avec l'approbation. Cette dernière attitude est même contraire à la considération positive inconditionnelle, car elle suppose que celui qui l'adopte porte un jugement de valeur. Celui qui approuve se considère comme habilité à se prononcer sur le cheminement de son interlocuteur. Qu'il approuve ou qu'il désapprouve, il se met dans la position d'un juge et nie pratiquement l'aptitude de l'autre à juger ses propres comportements.

Selon une troisième interprétation erronée, la considération positive inconditionnelle est associée à la « tolérance » à l'égard d'autrui.

Le terme « considération positive » utilisé par Rogers (Rogers et Kinget, 1973) va bien au-delà de l'attitude d'acceptation ou de tolérance. Tolérer quelqu'un, c'est, d'une part, juger négativement son comportement, mais s'imposer, d'autre part, de ne pas désapprouver ce comportement perçu comme négatif. C'est déjà une amélioration par rapport à l'attitude de jugement manifeste à l'égard de l'autre, mais cela ne suffit pas pour activer un processus de croissance chez lui.

Enfin, une quatrième interprétation abusive, plus subtile et plus nocive celle-là, conduit à éliminer systématiquement de son champ perceptuel les sentiments négatifs envers autrui. Au nom de la considération positive inconditionnelle, je me sens honteux ou coupable des sentiments négatifs spontanés que suscite souvent le contact avec autrui. L'idéal mal compris de la considération positive inconditionnelle devient une norme extérieure qui provoque l'inhibition, un processus défensif qui mène à l'inauthenticité. Cette attitude entraîne souvent le phénomène du double message dont il a été question plus haut.

Le modèle de la personne qui établit clairement la distinction entre le comportement et le champ perceptuel peut aider à rendre compte adéquatement de ce qu'est la considération positive inconditionnelle. D'une part, l'objet de cette attitude n'est pas d'abord le comportement de l'autre, mais le contenu de son champ perceptuel. D'autre part, elle consiste à affirmer le processus d'évaluation organismique chez l'autre et sa capacité de se prendre en charge.

Pour illustrer ces deux aspects de la considération positive inconditionnelle, prenons comme exemple un cas extrême où le comportement de l'autre menace ma propre actualisation. Supposons que je découvre que ma conjointe a un amant. Supposons également que j'aime vraiment cette femme et que j'en éprouve une douleur intense. Puis-je aborder cette question avec elle en ayant une attitude de considération positive inconditionnelle ? La réponse formulée ici est d'ordre théorique ; elle ne représente pas, sans doute, la réponse typique du mari trompé. Le choix, par ailleurs, d'un cas extrême, même s'il ne semble pas courant, permet de mieux saisir la notion de considération positive inconditionnelle. De plus, il permet de s'interroger sur les limites de cette attitude dans la vie de tous les jours.

Reprenons donc l'exemple. Si je suis moi-même menacé dans mon image personnelle et dans la satisfaction de mes besoins fondamentaux, si je me sens atteint dans ma dignité de mâle et dans mes droits de conjoint, il est évident que je ne peux plus penser à une attitude de considération positive inconditionnelle à l'égard de l'« épouse infidèle ». Nul ne peut aimer l'autre plus que lui-même. Supposons, par ailleurs, que mon état émotif me permet de partir du point de vue de celle que j'aime et d'entrer dans une démarche de négociation avec elle. L'attitude de considération positive inconditionnelle consiste à reconnaître le droit fondamental de cette femme à disposer d'elle-même et à trouver une réponse adéquate à son besoin d'aimer et d'être aimée, droit plus fondamental encore que mes droits de conjoint. Je ne conteste pas non plus la valeur et l'authenticité des sentiments de ma conjointe à l'égard de son amant, tout en reconnaissant aussi la peine, la douleur et même la colère que ces sentiments provoquent en moi. Je peux donc maintenir une attitude de considération positive inconditionnelle à l'égard des éléments subjectifs chez mon épouse, quelles que soient les implications pour moi de ce que je vais découvrir dans son champ perceptuel. Dans l'hypothèse d'une incapacité de ma part à partager avec un autre l'intimité de ma relation conjugale, je peux, moi aussi, exprimer mes sentiments et aborder la « négociation » en refusant, par exemple, cette double relation. Je peux exiger de ma conjointe qu'elle fasse un choix. Reste à savoir si cette position de ma part est réaliste et si elle n'entraînera pas la fin de notre relation affective. Il est probable, cependant, qu'une discussion qui s'amorce sous le signe de la considération positive inconditionnelle permettra de reprendre la question sous un angle tout à fait différent, la négociation initiale débouchant sur une évaluation de notre relation de couple. Quelle que soit l'issue de cette discussion, il reste que l'objet de la considération positive inconditionnelle n'est pas le comportement de ma conjointe, mais l'ensemble de son monde subjectif et le primat de sa subjectivité dans le choix qu'elle devra faire à la suite de la négociation. Nous sommes loin, on le voit, du laisser-faire ou de l'approbation systématique. Et pourtant, malgré le défi que représente une telle situation, il s'agit bien ici de considération positive inconditionnelle.

De façon générale, on peut parler d'une attitude de considération positive inconditionnelle chez une personne qui se perçoit comme incompétente pour juger de ce qui est bon pour une autre personne, et qui, en conséquence, considère l'autre comme l'« expert » pour toute décision ayant trait à sa propre actualisation. Le chapitre X, qui traite de l'approche centrée sur la personne, apportera plus de précisions à ce sujet.

La compréhension empathique

La troisième condition qui facilite le processus de croissance chez autrui est une attitude qui suppose les deux autres, mais elle les prolonge dans une attitude plus active. La compréhension empathique est une attitude qui permet de percevoir le comportement de l'autre à la façon dont lui-même le perçoit. On oppose souvent deux façons de considérer le comportement d'une personne pour préciser ce qu'est la compréhension empathique. La première façon consiste à interpréter ce comportement à partir d'un cadre de référence externe ; l'autre, à situer le comportement dans le prolongement du champ perceptuel de la personne, selon son cadre de référence interne.

Dans l'exemple de la conjointe infidèle donné plus haut, je peux évaluer son comportement en fonction d'un cadre de référence externe, en l'occurrence selon l'image de la bonne épouse dans notre société ou, plus précisément, selon mes propres attentes à l'égard de cette personne. Je peux aussi comprendre le comportement de cette femme en fonction de son cadre de référence interne. Comment elle-même perçoit-elle ce comportement ? À quels besoins répond-il ? Que ressent-elle par rapport à ce comportement ? Comment l'évalue-t-elle ? La compréhension empathique consiste à regarder le comportement de l'autre *comme si* j'étais cette autre personne, sans perdre de vue cependant que je ne suis pas cette autre personne, et en particulier sans cesser d'éprouver, de reconnaître et de symboliser ce que j'expérimente dans la situation.

La compréhension empathique est une façon de concrétiser le primat de la subjectivité, postulat adopté ici pour comprendre la personne humaine. S'il est vrai que tout comportement à un instant donné est fonction de la perception que l'on a de soi et de l'environnement à cet instant donné, mon attitude, lorsque je tente de comprendre une personne, est une attitude de recherche des éléments de son champ perceptuel qui président, chez elle, à la transformation de l'énergie biologique en comportements. Cette attitude suppose, d'une part, une reconnaissance de la diversité : les gens sont différents les uns des autres et chacun est unique même s'il existe des éléments communs à toutes les personnes. Elle suppose, d'autre part, une capacité de maintenir la distinction entre les perceptions de l'autre et les miennes. Cette distinction entre les deux perceptions est importante, car, sans elle, j'aurais tendance à m'identifier à l'autre. On emploie plutôt le terme sympathie pour désigner cette identification chaleureuse. Dans la compréhension empathique, je perçois cette expérience de l'autre *comme si* j'étais l'autre, mais sans faire mienne cette expérience.

La compréhension empathique est un facteur qui facilite le processus de croissance, car elle intensifie et accélère les processus du champ perceptuel de l'autre : elle contribue ainsi à canaliser avec plus de précision son énergie biologique, à favoriser chez lui l'ouverture à l'expérience et l'authenticité, à le rendre enfin plus apte à disposer de cette énergie. Elle n'introduit aucun élément extérieur, mais permet de mobiliser le potentiel de cette personne qui deviendra plus autonome et plus critique face aux influences multiples de l'environnement. Les chapitres qui suivent donneront plus de précisions sur la façon dont cette attitude peut se concrétiser dans une relation interpersonnelle.

CHAPITRE V

LA RELATION INTERPERSONNELLE

À la lumière des explications données dans les chapitres précédents, on peut affirmer qu'une personne qui s'actualise, c'est aussi une personne capable d'entrer en communication avec d'autres personnes et d'établir de saines relations interpersonnelles. Le philosophe Buber (1959) a influencé les premiers travaux de la psychologie perceptuelle en mettant la relation interpersonnelle au premier plan en ce qui concerne la croissance personnelle. Pour lui, la relation interpersonnelle est à ce point vitale que le fait fondamental de l'existence, ce n'est pas l'individu, ce n'est pas non plus l'ensemble des hommes qui constituent l'humanité, mais c'est « l'homme avec l'homme », c'est-à-dire la relation interpersonnelle. On ne peut comprendre vraiment la personne humaine sans la concevoir comme un « être de relation » et sans comprendre l'ensemble de ses relations interpersonnelles.

Pour faciliter l'étude de ces relations interpersonnelles, nous présentons un modèle descriptif qui complète celui du premier chapitre, ainsi qu'une typologie des relations interpersonnelles fondée sur la théorie de la motivation vue au chapitre III.

Modèle descriptif de la relation interpersonnelle

Le modèle de la relation interpersonnelle représenté schématiquement à la figure 3 met en relation la personne qui amorce la relation interpersonnelle, son interlocuteur et une cible poursuivie par les deux. Les parties désignées par les lettres A, B et C représentent respectivement les partenaires et la cible. Le tout est situé à l'intérieur d'un arc de cercle qui symbolise l'environnement.

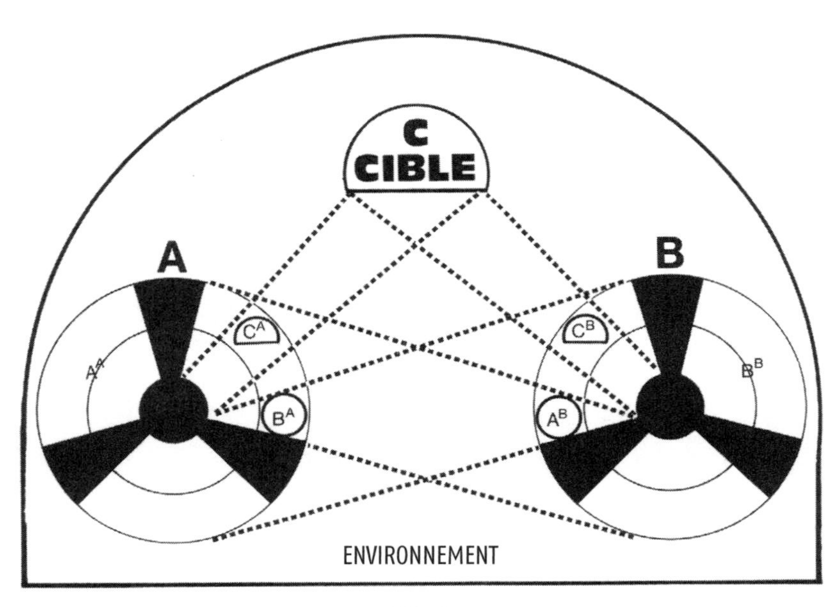

FIG. 3
La relation interpersonnelle

La personne A

La partie A du modèle reprend les dimensions déjà décrites dans le premier chapitre (figure 1): c'est une reproduction du modèle descriptif de la personne. On y retrouve l'énergie biologique (noyau), le comportement (cercle périphérique), les processus inconscients de transformation énergétique, le champ perceptuel et le soi (cercle intermédiaire).

Cette dernière dimension est désignée ici par les lettres A^A: la lettre qui apparaît en exposant, à droite de la première, fait toujours référence au sujet qui perçoit la réalité représentée par la première lettre. Dans le cas présent, A^A signifie: le sujet A tel qu'il est perçu par A, c'est-à-dire par lui-même, ce qui est une autre façon de désigner le soi.

Pour l'étude de la relation interpersonnelle, deux autres éléments apparaissent dans le champ perceptuel de A: le petit cercle à droite représente l'interlocuteur de A tel qu'il est perçu par A; c'est pourquoi il est désigné par les lettres B^A. Le demi-cercle situé au-dessus du cercle B^A représente la cible telle que A la perçoit: C^A. Ces deux éléments servent à concrétiser un des postulats énoncés dans le premier chapitre: le primat de la subjectivité. Le comportement de la personne A, dans ses relations interpersonnelles, sera fonction des perceptions qu'elle aura d'elle-même (A^A), de son interlocuteur (B^A) et de la cible (C^A).

Dans l'utilisation du modèle, pour analyser l'évolution d'une relation, il peut se révéler utile de distinguer la personne qui prend l'initiative de la relation et celle qui est sollicitée. La relation interpersonnelle est bien différente selon qu'elle est envisagée de l'un ou l'autre des points de vue. C'est pourquoi, dans le modèle, la lettre A désigne toujours la personne qui amorce la relation; cette personne sera considérée comme l'acteur et l'autre (B), comme l'interlocuteur.

La personne B

L'ensemble de cercles concentriques qui apparaît sous la lettre B représente l'interlocuteur, la personne avec qui le sujet A entre en relation. C'est une réplique exacte du modèle de la personne et du schéma qui représente la personne A, à la différence que la lettre B remplace la lettre A. La distinction entre acteur et interlocuteur est faite uniquement pour les fins de l'analyse ; dans une relation particulière, chacun peut passer de la position d'acteur à celle d'interlocuteur. Lorsqu'on utilisera le modèle pour comprendre ses propres relations interpersonnelles avec telle ou telle personne, on aura avantage à se situer tantôt à la position A, tantôt à la position B.

La cible C

Le demi-cercle qui se trouve au-dessus des deux parties A et B représente une portion de l'environnement physique et socioculturel dans lequel s'établit une relation interpersonnelle. Le terme « cible » est employé pour établir un lien particulier entre les deux partenaires d'une relation interpersonnelle. C'est parfois un élément de l'environnement qui mobilise l'énergie biologique des deux interlocuteurs, ou simplement le but d'une rencontre. Un exemple banal : deux personnes unissent leurs efforts pour déplacer un meuble qu'aucune des deux ne peut soulever seule. La cible est ici le meuble à déplacer. Dans un autre cas, ce sera un problème que l'on cherchera à résoudre ensemble.

La notion de cible servira surtout pour décrire certains types de relations interpersonnelles. Cette partie du modèle n'est pas aussi centrale que les deux autres, car la cible n'est pas à considérer comme essentielle dans toute relation interpersonnelle. On verra même parfois la personne B constituer la cible de A et vice versa, lorsque, par exemple, on ne cherche rien d'autre que d'être bien en présence d'une personne qu'on aime. C'est pourquoi le demi-cercle C est, dans certaines des figures ultérieures, délimité par un pointillé.

L'expérience de la relation interpersonnelle

Dans l'expérience quotidienne que nous avons de la relation interpersonnelle, les facteurs qui influent sur nos perceptions et sur nos comportements sont tellement nombreux et variés qu'il n'est pas facile de réduire à un processus typique tous les phénomènes de relation interpersonnelle. À titre d'essai, cependant, quelques principes de base seront dégagés dans les lignes suivantes, à partir d'une anecdote.

Justin est un homme entier et très spontané dans l'expression de ses sentiments. Il est aussi d'un tempérament très bouillant. Assis paisiblement devant sa demeure, il assiste un jour à une scène qui le fait bondir. Devant lui, à une certaine distance, de l'autre côté de la rue, un enfant joue au bord du trottoir. Un peu plus loin, un homme avance lentement : Justin le décrit comme un homme costaud qui marche la tête haute et tient un bâton à la main. L'homme approche de l'enfant qui, absorbé dans son jeu, ne le remarque pas. Justin a l'impression que l'homme est distrait et ne voit pas l'enfant. De fait, arrivé à sa hauteur, le passant bouscule l'enfant, qui tombe dans la rue, se blesse et se met à pleurer. Justin court déjà au secours de l'enfant, et, sur un ton colérique, il lance au passant malhabile : « Espèce de brute, tu ne pourrais pas regarder où tu marches ! » Il constate, à ce moment, qu'il est en face d'un aveugle, dont il n'avait pas remarqué la canne blanche. Justin se confond en excuses et cherche à réparer sa gaffe du mieux qu'il peut.

Utilisons maintenant le modèle de la relation interpersonnelle pour analyser brièvement cette séquence de relation entre Justin (A) et l'aveugle (B). Dans l'environnement de Justin, un ensemble de faits, décrits au début de l'anecdote, amènent celui-ci à entrer en relation avec cet étranger dont il a observé le comportement. Justin enregistre d'abord une série de stimuli en ce qui concerne le comportement de B : il est costaud, marche la tête haute et tient un bâton à la main. Ces éléments s'organisent spontanément dans le champ perceptuel de Justin et forment l'image B^A. L'organisme humain est naturellement actif face aux stimuli ; il les organise en un tout cohérent, selon un processus désigné, en psychologie, par la notion de « figure-fond ». Selon ce principe, l'organisme sélectionne, dans un ensemble indéterminé de stimuli qui composent le « fond », un certain nombre de stimuli qu'il réunit en un tout cohérent, lequel constitue la « figure » (voir Delorme, 1982). À notre demande, Justin pourrait déjà nous faire connaître l'image qu'il se fait de cette personne (B^A). Ce portrait détaillé résulterait de l'organisation opérée par Justin à partir des comportements observés, auxquels se seraient ajoutés un ensemble d'éléments puisés dans son champ perceptuel. À ce moment du récit, nous n'avons aucune idée de cette image B^A, mais les éléments qui suivent nous permettent de l'inférer. Elle est résumée, en particulier, dans ces mots de Justin : « Espèce de brute ». On peut très bien suivre, dans le champ perceptuel de Justin, le passage de l'enregistrement des comportements observés à la formation de cette image B^A : l'homme qui est costaud, marche la tête haute, tient un bâton à la main et bouscule un enfant (comportements directement observables) est devenu une « brute », c'est-à-dire une personne qui accomplit des gestes avec des intentions malveillantes ou, du moins, en faisant preuve de brutalité. Rappelons que, dans les circonstances, Justin n'a pas directement accès au monde subjectif de B ; il interprète le comportement de B à partir d'un cadre de référence externe, contrairement à ce que voudrait la compréhension empathique, définie au chapitre précédent – attitude qui n'est pas possible dans les circonstances. De plus, il a ignoré certains éléments de l'environnement, la canne blanche en particulier. « La brute » est une réalité *perçue* par Justin, mais comme telle elle n'existe pas ; la suite de l'histoire le montre bien. La personne B telle que la perçoit Justin (B^A) n'existe pas ailleurs que dans le champ perceptuel de celui-ci : à vrai dire, s'il y a une « brute » dans cette histoire, c'est bien Justin, qui reproche à un aveugle de ne pas regarder où il marche. On vérifie, une fois de plus, que le comportement de Justin ne s'explique pas en fonction de la réalité telle qu'elle est, mais en fonction de la perception qu'il en a (primat de la subjectivité).

On peut utiliser le modèle de la relation interpersonnelle pour cerner l'événement de façon plus rigoureuse, en distinguant, par exemple, ce qui est de l'ordre du comportement et ce qui est de l'ordre de la perception globale (B^A). On emploie souvent le terme « décoder » au sens d'établir la signification exacte d'un message ou d'une séquence de relation interpersonnelle. Ainsi, le message exprimé par Justin est contenu dans la phrase : « Espèce de brute », mais, une fois décodé, ce même message pourrait se lire comme suit : « Si moi, qui ne suis pas aveugle, j'avais fait ce que tu viens de faire, je me considérerais comme une brute. »

Ce décodage permet de saisir ce que Rogers (1952) a mis en évidence comme une des sources majeures des difficultés liées à la relation interpersonnelle, à savoir « notre tendance spontanée à juger ». Le problème est facile à reconnaître, mais plus difficile à résoudre, car tous les jugements que nous portons sont la manifestation d'un processus central du développement personnel. Cette activité repose en particulier sur le besoin fondamental de cohérence qu'elle vient combler et dont on ne peut faire fi sans aller contre la tendance, la plus profonde de l'organisme humain, à l'actualisation. Cette observation de Rogers est à l'origine d'une norme au nom de laquelle on se refuse à porter des jugements, de sorte que plusieurs, de peur de juger autrui, tombent le plus souvent dans un processus défensif et inhibent les jugements spontanés qui surgissent dans leur champ perceptuel. Lorsque je fais la distinction entre le comportement et le champ perceptuel, je facilite l'émergence, dans mon champ perceptuel (authenticité), de toute image que je me fais de l'autre. Je peux ensuite, dans un deuxième temps, critiquer cette image : quels sont les faits observables qui m'incitent à penser que l'autre est ceci ou cela ? Celui qui prend la responsabilité de ses perceptions hésite à invoquer la simple intuition ou « ce qu'il sent » pour justifier son jugement. Ce n'est pas le jugement comme tel, ni même la tendance spontanée à juger – ce sont là des manifestations d'un organisme en santé –, qui nuit aux relations interpersonnelles ; ce sont plutôt le manque d'authenticité et le manque de sens critique à l'égard de ces jugements spontanés.

Le modèle descriptif de la relation interpersonnelle aide à déterminer de façon rapide, précise et parfois brutale les éléments constitutifs de l'image B^A, c'est-à-dire la perception que j'ai de l'autre, favorisant ainsi l'authenticité. Précisons encore que, dans la mesure où s'ajouteront à cette première attitude la considération positive inconditionnelle et l'empathie, une critique systématique de l'image B^A pourra être faite et un comportement plus adéquat pourra en résulter.

En résumé, on peut dégager les étapes suivantes dans la naissance de toute relation interpersonnelle :

1) j'enregistre un nombre restreint de comportements de B ;
2) je les organise en un tout cohérent qui reflète mon expérience personnelle, mes valeurs, mes champs d'intérêt, mes expériences passées, mes préjugés, mon appartenance à une culture particulière, etc. ;
3) j'agis en fonction de l'image B^A que je me fais de l'autre.

Notons, enfin, que la première image que je me fais de quelqu'un est souvent très tenace, au point de m'empêcher de prendre acte par la suite des comportements différents qui viendraient remettre en question cette image ; c'est ce qu'on appelle un préjugé. Celui qui est sous l'empire d'un préjugé aborde la réalité de l'autre avec une image (B^A) formée avant même l'observation de quelque comportement que ce soit. Cette image B^A constitue ce qu'on pourrait appeler un filtre perceptuel : je m'attends tellement à ce que le Noir, l'avocat, le catholique, le sans-abri ou l'Américain agisse de telle façon que j'observe effectivement les comportements attendus, alors qu'un observateur impartial aurait une perception tout à fait différente de ces mêmes comportements.

Un jeune adulte vient un jour consulter un conseiller en orientation et ne cesse de répéter qu'il n'est pas intelligent. Le conseiller, qui s'en fait une image différente, l'invite à passer un test d'intelligence, qui lui dira avec précision s'il a raison d'affirmer qu'il n'est pas intelligent. Lorsqu'il communique à son interlocuteur le résultat du test, qui indique une intelligence supérieure à la moyenne, le jeune répond : « Ce n'est pas possible, vos tests ne sont pas bons. » On verra au chapitre IX comment on peut faciliter le changement d'une perception.

Typologie des relations interpersonnelles

La relation interpersonnelle peut être considérée comme un moyen auquel recourt une personne pour satisfaire ses besoins fondamentaux. C'est dans cette perspective qu'a été établie la typologie que nous proposons ici. Elle définit quatre types de relations : la relation fonctionnelle, qui permet une satisfaction des différents besoins d'ordre physique ; la relation chaleureuse, qui constitue un moyen de répondre au besoin de considération ; la relation coopérative, pour répondre au besoin de compétence, et la relation heuristique, pour satisfaire le besoin de cohérence. Nous examinerons ici la relation fonctionnelle ; les autres types de relations feront seulement l'objet d'une brève définition et seront repris successivement dans les trois prochains chapitres.

LA RELATION FONCTIONNELLE

La plupart des théories de la relation interpersonnelle traitent des relations le plus susceptibles de favoriser le processus d'actualisation, de sorte que la relation fonctionnelle est négligée dans les traités de psychologie. La théorie que nous présentons accorde elle-même moins d'importance à la relation fonctionnelle qu'aux trois autres types de relations. Il n'en reste pas moins que, dans l'expérience quotidienne de la vie en société, les relations établies par chacun avec ses semblables sont souvent de nature fonctionnelle.

La relation fonctionnelle vise principalement à satisfaire un besoin physique. Elle est d'ordre pratique : selon la définition du dictionnaire (*Petit Robert*), c'est une relation « qui remplit une fonction pratique avant d'avoir tout autre caractère ». C'est ce genre de relation qui préside à des échanges de type commercial ou qui s'établit dans le contexte de la prestation d'un service technique. Les caractéristiques personnelles de B passent alors au second plan, pourvu que celui-ci soit apte à fournir ce qui est désiré, soit les denrées, marchandises et services dont une personne a besoin pour satisfaire ses besoins physiques.

Il est hasardeux, sans doute, d'inclure dans une seule catégorie l'ensemble des relations à travers lesquelles une personne cherche la satisfaction de ses besoins physiques. Chaque situation est unique si l'on tient compte du contexte, des personnalités et des attentes multiples de chacun. Malgré cette diversité, notre définition souligne une particularité de la relation fonctionnelle : elle « remplit une fonction pratique *avant* d'avoir tout autre caractère ». Cette définition permet aussi de tenir compte de plusieurs autres caractéristiques secondaires. Bien des personnes éprouveront un sentiment d'insatisfaction si le pain qu'elles achètent n'est pas accompagné d'un sourire cordial ou simplement si le commis a « l'air bête ». D'autres personnes attendent souvent une collaboration de leur fournisseur pour les aider à résoudre un problème selon le mode coopératif qui sera décrit au chapitre VII. Retenons que la relation fonctionnelle n'est pas *exclusivement* pratique, mais qu'elle remplit *d'abord* une fonction pratique.

La motivation principale qui incite l'acteur (A) à établir une relation fonctionnelle avec un interlocuteur (B) est l'émergence, dans son champ perceptuel, d'un besoin physique quelconque. Il est facile de reconnaître une telle relation dans des gestes simples comme l'achat d'un pain, d'un outil ou d'un billet de loterie. Mais, en réalité, bien des besoins physiques se manifestent à l'intérieur de processus plus complexes ; par exemple, un besoin de manger trouve souvent satisfaction à même une rencontre interpersonnelle qui répond à d'autres besoins. De même, le besoin sexuel est le plus souvent satisfait dans une relation affective.

La notion de relation fonctionnelle suffit donc rarement à l'analyse d'une relation concrète. Elle permettra souvent, néanmoins, de cerner la différence entre une véritable relation interpersonnelle et une relation dans laquelle la personne de B passe au second plan : une relation chaleureuse, par exemple, diffère beaucoup d'une relation avec une prostituée payée pour le plaisir sexuel qu'elle procure.

On peut dégager de la remarque qui précède un mode d'emploi de cette première catégorie de relations, pour l'analyse des relations interpersonnelles. Au-delà de son caractère apparemment banal, la relation fonctionnelle permet de délimiter les frontières de chacune des relations qui seront décrites dans les chapitres suivants. Dans la relation fonctionnelle, en effet, la personne B est perçue en fonction d'un rôle, celui de pourvoyeur d'un bien quelconque. Les personnes qui reprochent parfois à un ami ou à un collègue de travail de les considérer comme des objets sont probablement engagées dans une relation fonctionnelle, alors que leurs attentes auraient exigé une relation plus personnalisée. On parle aussi d'échange impersonnel pour désigner la relation de type fonctionnel.

La catégorie utilisée ici ne préjuge d'aucune option personnelle ni d'aucun schème de valeur quant à la façon de concevoir et de vivre ses relations interpersonnelles : elle est définie comme une relation qui met l'accent sur l'aspect pratique. À chacun d'évaluer les modalités personnelles qu'il désire introduire dans ses relations avec les autres. En soi, la relation strictement fonctionnelle n'est reliée au processus d'actualisation que par l'objet matériel ou l'information qu'elle procure à A. Aucune donnée scientifique ne permet de vérifier si des composantes chaleureuses, coopératives et heuristiques (thèmes des chapitres subséquents) seraient de nature à rendre la relation fonctionnelle plus actualisante. Au-delà du critère d'efficacité, toutes les options semblent équivalentes. C'est la satisfaction de A dans cette relation qui devient le seul critère d'une « bonne relation fonctionnelle ». Une relation fonctionnelle impersonnelle, par exemple, sera un obstacle à l'actualisation non pas parce qu'elle est dépourvue de considérations personnelles, mais parce que l'individu qui la vit a des attentes autres que fonctionnelles lorsqu'il entre en relation avec quelqu'un. Le phénomène de dépersonnalisation des rapports humains en milieu urbain, par exemple, ne constitue pas en soi un obstacle à l'actualisation des personnes. Tout dépendra de la possibilité pour chaque individu d'établir aussi des relations autres que des relations fonctionnelles.

Toutes ces observations mènent à la conclusion que même s'il faut la considérer comme une des catégories de la typologie générale des relations interpersonnelles, la relation fonctionnelle n'est pas à proprement parler *interpersonnelle*. La partie B du modèle représente toujours une personne, mais celle-ci est perçue par A comme un simple élément de l'environnement, dont le seul rôle est de répondre à un besoin. À la limite, une machine peut aussi bien faire l'affaire, comme en témoignent les distributrices de toutes sortes, les guichets automatiques et les systèmes téléphoniques automatisés des services à la clientèle. Pour chaque personne qui se plaint du caractère impersonnel d'une relation fonctionnelle, on en trouvera probablement une autre qui se plaint de ce que l'interlocuteur passe son temps à placoter plutôt que de rendre le service demandé.

La figure 4 schématise la relation fonctionnelle. On voit que seuls l'environnement et la personne A sont des composantes significatives. Les autres éléments, soit la personne B et la cible, n'ont qu'un caractère secondaire.

Rappelons, en terminant, que la description donnée ici est d'ordre théorique et qu'elle sert principalement à l'analyse. Il se peut que certaines personnes ne vivent jamais à l'état pur ce type de relation fonctionnelle, ou, lorsque cela arrive, qu'elles les vivent à contrecœur et avec un sentiment d'insatisfaction.

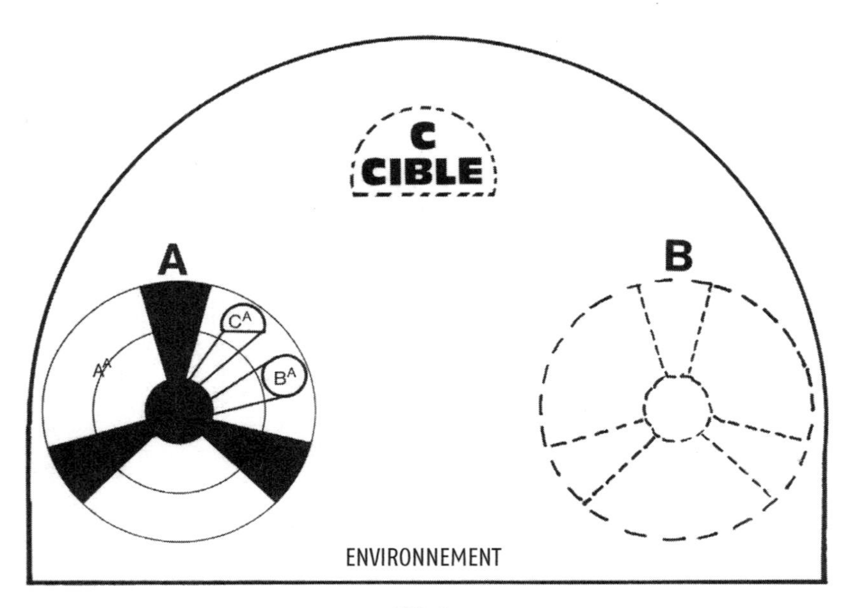

FIG. 4
La relation fonctionnelle

LES AUTRES TYPES DE RELATIONS

Les trois autres catégories de la typologie, contrairement à la relation fonctionnelle, ont ceci en commun : elles mettent en interaction deux personnes qui se perçoivent comme des partenaires d'une relation, celle-ci visant à satisfaire un ou plusieurs de leurs besoins fondamentaux d'ordre psychologique. Ici, comme dans le cas précédent, les descriptions seront faites selon une perspective théorique, à des fins d'analyse. Les types purs correspondent rarement à l'expérience quotidienne, mais, pour faciliter la description, les trois types de relations qui font l'objet des chapitres VI, VII et VIII seront présentés en tenant pour acquis le fait suivant : les deux personnes A et B cherchent simultanément à satisfaire le même besoin fondamental, sinon de façon exclusive, du moins de façon prédominante. L'expérience étant toujours plus complexe et plus riche que la théorie, l'utilisation de ces catégories, dans une analyse concrète, devra donc se faire avec beaucoup de nuances. Il est d'ailleurs probable que la compréhension de certaines relations interpersonnelles exigera le recours à des informations réparties dans les trois chapitres suivants.

Avant d'aborder chacune de ces descriptions, voici, en guise d'introduction, une définition sommaire de ces trois types de relations interpersonnelles. La relation chaleureuse est celle où une personne A crée un lien avec une personne B dans le but de satisfaire son besoin de considération. La relation coopérative s'établit lorsqu'une personne A s'associe à une personne B perçue comme ayant des ressources pour l'aider dans la satisfaction concrète d'un besoin de compétence. Dans la relation heuristique – heuristique signifie « qui sert à la découverte » –, une personne A entre en interaction avec une personne B afin de mieux symboliser sa propre expérience, soit celle qu'elle a d'elle-même, soit celle qu'elle a de l'environnement, pour répondre à son besoin de cohérence.

CHAPITRE VI

LA RECHERCHE DE CONSIDÉRATON ET LA RELATION CHALEUREUSE

La personne est orientée par une tendance à l'actualisation et elle possède tout ce qu'il lui faut pour s'actualiser effectivement, pourvu que l'environnement lui fournisse un minimum de conditions propres à faciliter l'actualisation. Dans les chapitres précédents, nous avons vu ce qu'impliquait de façon générale ce « pourvu que ». Ce chapitre et les deux qui suivent explorent des aspects précis du processus d'actualisation au regard de la satisfaction de chacun des trois besoins fondamentaux d'ordre psychologique : besoins de considération, de compétence et de cohérence. Chacun de ces trois chapitres traitera également d'un type de relation interpersonnelle, celui qui est de nature à faciliter le processus correspondant et à répondre au besoin sous-jacent. Les deux aspects, soit les manifestations du besoin et la relation, sont traités à l'intérieur de chaque chapitre : c'est une façon de souligner leur interdépendance. Une caractéristique du processus de croissance est, en effet, qu'il se réalise en grande partie dans l'interpersonnel. Aux fins de l'analyse théorique, chacune de ces expériences ainsi que la relation qui en découle sont traitées pour elles-mêmes. Il convient de rappeler une fois de plus que ce cloisonnement, utile pour la présentation théorique, n'existe pas dans la vie quotidienne, de sorte que l'expérience de la croissance ainsi que la relation concrète vécue entre deux personnes seront ordinairement des synthèses originales de ce qui sera analysé dans l'ensemble de ces trois chapitres.

L'expérience d'aimer et d'être aimé

Une affirmation a déjà été proposée au chapitre III, selon laquelle toute personne qui s'actualise vit, d'une façon ou d'une autre, l'expérience d'aimer et d'être aimée dans sa recherche de satisfaction d'un besoin de considération. Partons maintenant de la vie quotidienne, en recueillant les expériences nombreuses et variées auxquelles chacun fait référence lorsqu'il emploie le mot « aimer ». En fait, dans la langue française, le mot est employé avec une variété de significations assez étonnante : j'aime le baseball, j'aime mes parents, j'aime mon ourson en peluche, j'aime mon chien, j'aime cette femme, j'aime ma maîtresse, j'aime mieux, j'aime tout le monde, je n'aime personne, j'aime bien faire du sport, j'aime le cinéma, j'aime lire, j'aime mon bœuf saignant, etc. Malgré les multiples significations du terme aimer, celui-ci évoque toujours une prise de conscience, par la personne qui l'emploie, de la satisfaction de l'un ou l'autre de ses besoins. On peut résumer toutes les expressions qui précèdent en disant : « J'aime (j'éprouve un attrait pour) tout ce qui répond à mes besoins. »

Pour traiter de l'expérience qui est directement reliée au besoin fondamental de considération, tel qu'il a été défini au chapitre III, il faut opérer une sélection parmi toutes les expériences auxquelles le mot aimer peut donner accès. L'analyse de l'expérience d'aimer qui est proposée ici porte uniquement sur le lien positif entre une personne A et une personne B, laquelle est perçue comme capable de répondre au besoin fondamental de considération de la première. L'expérience d'aimer des objets, des situations, des animaux ou un être transcendant ne sera pas abordée comme telle.

L'analyse de l'expérience d'aimer et d'être aimé permet de distinguer, dans le champ perceptuel de celui qui vit cette expérience, trois dynamismes autonomes, ou trois processus de transformation de l'énergie biologique en comportements : le dynamisme érotique, le dynamisme affectif et le dynamisme de la liberté. Telle qu'elle est vécue concrètement, l'expérience d'aimer apparaît comme la résultante de trois composantes, chacune étant associée à l'un des trois dynamismes précités : 1) l'expérience du plaisir ressenti au contact d'une autre personne (dynamisme érotique) ; 2) l'expérience de l'affection, qui se traduit par des attitudes empreintes de tendresse, de chaleur et de sympathie à l'égard de B (dynamisme affectif) ; et 3) l'expérience de choisir, d'agir avec suffisamment de liberté pour assumer la responsabilité des gestes que l'on pose à l'égard de la personne aimée (dynamisme de la liberté). Ces trois dynamismes sont considérés comme trois processus autonomes ayant chacun leurs lois de développement, leurs blocages et leurs manifestations spécifiques dans le comportement de la personne. Ils constituent, par ailleurs, les composantes essentielles de toute expérience d'aimer. Chacun de ces dynamismes sera, dans un premier temps, décrit brièvement (pour un examen plus approfondi, voir St-Arnaud, 1978). Nous verrons, dans un deuxième temps, les différents modes d'intégration de ces trois composantes à l'intérieur d'une relation interpersonnelle.

L'expérience du plaisir ou le dynamisme érotique

L'expérience du plaisir a fait l'objet de nombreuses recherches en psychologie, de la psychophysiologie, qui explique de mieux en mieux le fonctionnement des systèmes hormonal et nerveux sous-jacents à l'expérience du plaisir, jusqu'à la sexologie dont les études intègrent les données de la psychanalyse, de la psychopathologie et de la psychosociologie (voir Chabot, 1991).

Selon le sens commun, l'expérience du plaisir est celle qui apparaît dans le champ perceptuel lorsqu'un ou plusieurs sens sont stimulés de façon agréable. Dans l'expérience d'aimer, plusieurs sens peuvent être sollicités : le son agréable de la voix, l'harmonie des formes corporelles, l'odeur et le goût, bien que, à cet égard, l'être humain semble moins favorisé que les animaux tenus pour inférieurs à l'homme. Le plaisir du toucher, qui atteint son sommet dans l'orgasme, est ordinairement le plus caractéristique du dynamisme érotique, dans l'expérience d'aimer.

Le dynamisme érotique est présent dans toute relation chaleureuse, même si son intensité varie beaucoup d'une relation à l'autre. Pour analyser cette composante de l'expérience d'aimer, il semble utile de représenter les expressions du dynamisme érotique sur un continuum, lequel comporte non seulement différents degrés de plaisir (partie positive), mais aussi différents degrés de déplaisir (partie négative), lié aux expériences désagréables vécues en présence d'une autre personne. Dire que le dynamisme érotique est une des trois composantes essentielles de l'expérience d'aimer, ce n'est donc pas affirmer que cette composante est nécessairement la plus importante des trois ; ce n'est pas non plus affirmer qu'il y a toujours une expérience de plaisir dans l'expérience d'aimer. Selon certaines modalités qui seront décrites plus loin, une personne peut vivre l'expérience d'aimer sans éprouver de plaisir d'ordre physique, et même lorsqu'il y a déplaisir en présence de l'autre personne. L'amour authentique, qui conduit certaines personnes à consacrer leur vie au soin des lépreux, par exemple, en témoigne. Le continuum érotique, sur lequel on peut situer toute expérience d'aimer, va donc du déplaisir intense, répulsion, dégoût, etc., jusqu'au plaisir le plus intense de l'orgasme, en passant par toute la gamme des sensations.

D'un autre point de vue, le dynamisme érotique peut être considéré comme un processus de transformation de l'énergie biologique en comportements associés à l'expérience de plaisir ou de déplaisir. En tant que tel, il peut résulter d'un processus de croissance ou d'un processus défensif. Laissons à d'autres le soin de traiter des aspects pathologiques du dynamisme érotique (voir American Psychiatric Association, 1996). Retenons néanmoins que, dans le champ perceptuel de la personne, le continuum déplaisir-plaisir nous renseigne sur le bon fonctionnement du processus de croissance. À l'inverse, l'absence de déplaisir ou de plaisir indiquerait un processus défensif.

Les manifestations du processus de croissance et celles des processus défensifs, exposées au chapitre IV, s'appliquent au cas particulier du dynamisme érotique. L'ouverture à l'expérience, telle qu'elle a été définie, permet à la personne de vivre pleinement l'expérience du plaisir ou du déplaisir face à une autre personne. On peut préciser davantage le processus de croissance sur le plan du dynamisme érotique en étudiant la correspondance entre différents stimuli érotiques et l'expérience qu'ils suscitent à l'intérieur du champ perceptuel d'une personne. On reconnaît en général, au-delà des goûts particuliers, que les personnes « en santé » éprouvent une sensation de plaisir au contact d'une peau douce ; la caresse devient un comportement adéquat pour alimenter le dynamisme érotique des partenaires sexuels. L'expérience de dégoût dans une situation semblable sera plutôt considérée comme la manifestation d'un processus défensif. L'analyse devient plus difficile lorsque la violence ou la douleur légère, provoquée, par exemple, par une morsure vient activer le dynamisme érotique. Le cas extrême du masochisme, où la douleur semble recherchée, est facile à classer dans la catégorie des manifestations défensives et pathologiques du dynamisme érotique. Au-delà de ce cas extrême, cependant, la frontière entre le plaisir et le déplaisir n'est pas toujours simple à déterminer.

Quoi qu'il en soit de ces difficultés, retenons que le dynamisme érotique comporte des lois de développement et que des études plus poussées sur la correspondance entre les stimuli de l'environnement et les réactions de la personne sur le continuum déplaisir-plaisir nous aideront à comprendre un aspect important de l'expérience d'aimer et d'être aimé. L'expression « maturité érotique », ou « maturité sexuelle », peut être employée ici pour désigner le plein épanouissement du processus érotique. À l'inverse, l'immaturité sexuelle résulte d'un blocage, nommément l'inhibition, processus défensif qui empêche l'ouverture à l'expérience. Il en résulte une incapacité à éprouver du plaisir dans un contact physique. La peur, la honte, le dégoût ou la culpabilité face au domaine érotique sont aussi des manifestations, dans le champ perceptuel, d'un processus défensif.

Cette façon de concevoir le dynamisme érotique comme une composante autonome de l'expérience d'aimer et d'être aimé permet d'apporter des nuances importantes en ce qui concerne la maturité psychologique. On emploie souvent le terme de maturité pour qualifier une personne capable de contrôler ses émotions. Le contrôle s'apparente à une des composantes du processus de croissance, soit la prise en charge (décrite au chapitre IV), mais il suppose d'abord l'émergence de l'expérience, qui, par la suite, est soumise au contrôle. Si le contrôle prend la forme d'un blocage et entraîne l'inhibition des émotions, il n'est plus un signe d'actualisation et n'a rien à voir avec la maturité. La maturité participe d'un phénomène complexe, mais, au chapitre du processus érotique, considéré comme un processus autonome, c'est la capacité d'éprouver du plaisir ou du déplaisir en présence d'un stimulus adéquat qui indique la maturité. Celle-ci est aussi associée à la capacité d'éprouver du plaisir sans peur, sans honte, sans culpabilité et sans dégoût.

Le plaisir sexuel devient une composante de l'expérience d'aimer lorsqu'il est anticipé dans le désir ressenti à l'égard d'une autre personne ou lorsqu'il est vécu dans le contact physique qui conduit à l'orgasme. Le dynamisme érotique dans son ensemble fait partie de l'expérience d'aimer et d'être aimé, car il facilite les comportements qui peuvent traduire les sentiments propres au dynamisme affectif et les choix qui découlent du dynamisme de la liberté.

L'expérience de l'affection ou le dynamisme affectif

Chacun sait que le désir éprouvé pour un partenaire sexuel et le plaisir de l'orgasme ne sont pas suffisants pour qu'il y ait une véritable expérience d'aimer et d'être aimé. À la limite, une personne peut poursuivre, dans une aventure sexuelle passagère ou dans la prostitution, une expérience sexuelle axée exclusivement sur le plaisir. Elle vit alors une relation de type fonctionnel où le partenaire sexuel répond à un besoin physique et devient un objet de plaisir. On hésitera certainement à parler d'amour dans une situation semblable. La composante érotique ne suffit donc pas pour qu'il y ait satisfaction du besoin fondamental de considération ; il y a une véritable expérience d'aimer et d'être aimé lorsque, en plus de la composante érotique, des sentiments de tendresse, de sympathie, ou au moins de l'estime, sont présents dans le champ perceptuel de celui qui aime. Le terme « affection » sera employé pour désigner l'ensemble de ces sentiments positifs qui incitent une personne à se rapprocher d'une autre personne, à l'égard de qui elle éprouve de tels sentiments.

Le dynamisme affectif n'est jamais isolé des autres composantes – pas plus que le dynamisme érotique – dans une expérience d'aimer concrète. Le fait de le distinguer, cependant, facilite l'analyse. L'observation permet d'inférer que, à l'instar du dynamisme érotique, le dynamisme affectif a ses particularités. On peut le considérer comme un processus autonome ayant ses propres lois de développement et se manifestant selon un continuum d'intensité négative et positive. Dans les manifestations négatives de ce dynamisme, l'énergie biologique est transformée en expériences désagréables, en présence d'une autre personne : antipathie, malaise, répulsion, aversion, mépris sont des termes qui servent à caractériser de telles manifestations. Les manifestations positives sont désignées par les termes tendresse, chaleur, sympathie, affinités, estime, admiration, amitié, etc.

Lorsque le processus affectif est intégré dans une expérience d'aimer, vécue de façon positive, il est intimement lié au processus érotique et devient difficile à isoler. Tel n'est pas le cas, cependant, lorsque l'un des deux processus est l'objet d'une inhibition ou d'un blocage. Certaines personnes peuvent donner libre cours à leur dynamisme affectif tout en étant incapables d'y intégrer leur sexualité. C'est le thème exploité dans plusieurs œuvres littéraires qui, par exemple, présentent une femme pleine de tendresse et de chaleur dans sa relation de couple, mais qui est incapable d'y intégrer sa sexualité, qu'elle satisfait par ailleurs dans des relations anonymes par le biais de la prostitution. De façon plus positive, les relations d'amitié et de tendresse à l'intérieur de la famille permettent d'observer l'émergence et l'évolution du dynamisme affectif alors que le dynamisme érotique passe au second plan de la relation. Les remarques déjà faites au sujet de la maturité érotique s'appliquent également au processus affectif: c'est l'émergence des sentiments propres au dynamisme affectif et la capacité de les éprouver qui témoignent d'une *maturité affective*, et non la capacité de contrôler son affection.

L'EXPÉRIENCE DU CHOIX LIBRE OU LE DYNAMISME DE LA LIBERTÉ

L'emploi du terme liberté en psychologie est toujours délicat. Ce terme a une connotation très différente selon qu'on l'applique au rapport personne-environnement, à l'ouverture à l'expérience, abordée au chapitre IV, ou à la capacité qu'a une personne de faire des choix. Pour certains chercheurs (Skinner, 1972; Laborit, 1974), le terme liberté devrait être banni du vocabulaire scientifique. Il est employé ici, dans le contexte de la psychologie perceptuelle, pour désigner une expérience spécifique: celle d'une personne qui est consciente de faire un choix et qui assume la responsabilité du comportement qui découle de ce choix. La question des déterminismes inconscients et des conditionnements, qui peuvent être à l'origine d'un choix, reste ouverte. L'expérience de faire des choix est, par ailleurs, suffisamment présente dans le champ perceptuel de la plupart des personnes pour qu'elle soit traitée comme telle. L'expression « dynamisme de la liberté » sert donc à désigner un processus de transformation énergétique autonome qui a, lui aussi, ses lois propres, ses blocages et ses particularités et qui est considéré comme la troisième composante essentielle de l'expérience d'aimer.

Le soi (tel qu'il a été défini dans le premier chapitre) est la structure du champ perceptuel qui permet l'exercice de la liberté. Le « je » devient le terme privilégié pour exprimer cette expérience de la liberté. Je me perçois comme capable de dire *je*, je comprends que cela a un sens pour moi et que cela correspond à une expérience particulière en moi. Cette prise de conscience entraîne une expérience encore plus spécifique lorsque je « choisis ». Telle est l'expérience de la liberté. Cette expérience est compatible avec le sentiment que j'ai de choisir plus ou moins librement, étant soumis à toutes sortes de contraintes reliées à mon hérédité ou à mon passé.

Dans l'expérience d'aimer, ce dynamisme de la liberté apparaît comme central. Il est considéré, au même titre que les processus érotique et affectif, comme une composante essentielle de l'expérience d'aimer. On peut l'observer par la négative ou la positive : par la négative, lorsqu'il ne semble pas pouvoir se manifester, chez des personnes qui se sentent submergées par des « émotions incontrôlables » ou par des « instincts despotiques », ou encore chez les personnes qui ont le sentiment d'agir par contrainte ou d'être esclaves de leur environnement ; par la positive, lorsqu'une personne choisit de poser tel geste qui est de nature à satisfaire des besoins d'ordre érotique ou affectif, ou lorsqu'elle choisit de se rapprocher ou de s'éloigner d'une autre personne.

La capacité de choisir peut, elle aussi, s'évaluer suivant un continuum. La partie négative représente un mode défensif, alors que la partie positive correspond au processus de croissance. Dans le premier cas, les blocages conduisent à la rigidité, au moralisme ou même au dogmatisme, autant de signes que la personne est dépendante des normes de son milieu. Dans le second cas, la capacité de choisir s'exerce avec souplesse et consiste plutôt à orienter l'énergie déjà agissante dans les émotions, les pulsions et les sentiments qui sont accueillis dans le champ perceptuel. Le dynamisme de la liberté est différent des deux autres sous un aspect : il évolue souvent avec plus de lenteur et se manifeste comme dans un deuxième temps, alors que les deux autres ont un caractère plus spontané et plus primitif. Dans l'agir concret, la personne ouverte à son expérience est souvent sollicitée par des expériences multiples parfois contradictoires qui se neutralisent les unes les autres jusqu'à ce que le choix se fasse. Par exemple, je peux simultanément éprouver de l'antipathie à l'égard de quelqu'un et avoir une certaine estime pour lui, situation qui appelle un choix. Que le choix soit d'agir en accord avec l'antipathie ou en accord avec l'estime, le processus du choix consiste à prendre un certain recul par rapport aux ressentis. Ce recul est possible grâce à l'acquisition d'attitudes et de valeurs, autant de structures du champ perceptuel. Ces structures résultent en partie des choix antérieurs d'un individu ainsi que de l'influence de son environnement ; en retour, elles contribuent à orienter les choix qu'il fait dans une situation concrète.

L'expression « maturité éthique » est utilisée pour désigner la capacité de faire des choix qui sont en accord avec ses valeurs – les siennes et non celles que d'autres lui imposent –, valeurs qui ont été intériorisées comme des moyens d'accélérer le processus du choix, dans une situation concrète. À l'inverse de la personne qui fait preuve de maturité éthique, celui qui agit contre ses valeurs subit l'action d'un processus défensif : dans ce cas, ces valeurs ne sont pas encore bien assimilées ou encore la capacité de se prendre en charge est limitée. Le contrôle des émotions et des impulsions apparaît donc comme un aspect secondaire de ce processus, qui consiste *d'abord* à canaliser l'énergie dans des comportements considérés – selon un processus d'évaluation organismique – comme les meilleurs moyens de favoriser, ici et maintenant, l'actualisation de soi.

Intégration des trois composantes

L'intégration des trois processus définis comme les composantes essentielles de toute expérience d'aimer et d'être aimé peut se faire de nombreuses façons. La typologie qui suit présente trois modes d'intégration particuliers. Avant de l'examiner, précisons que l'intégration

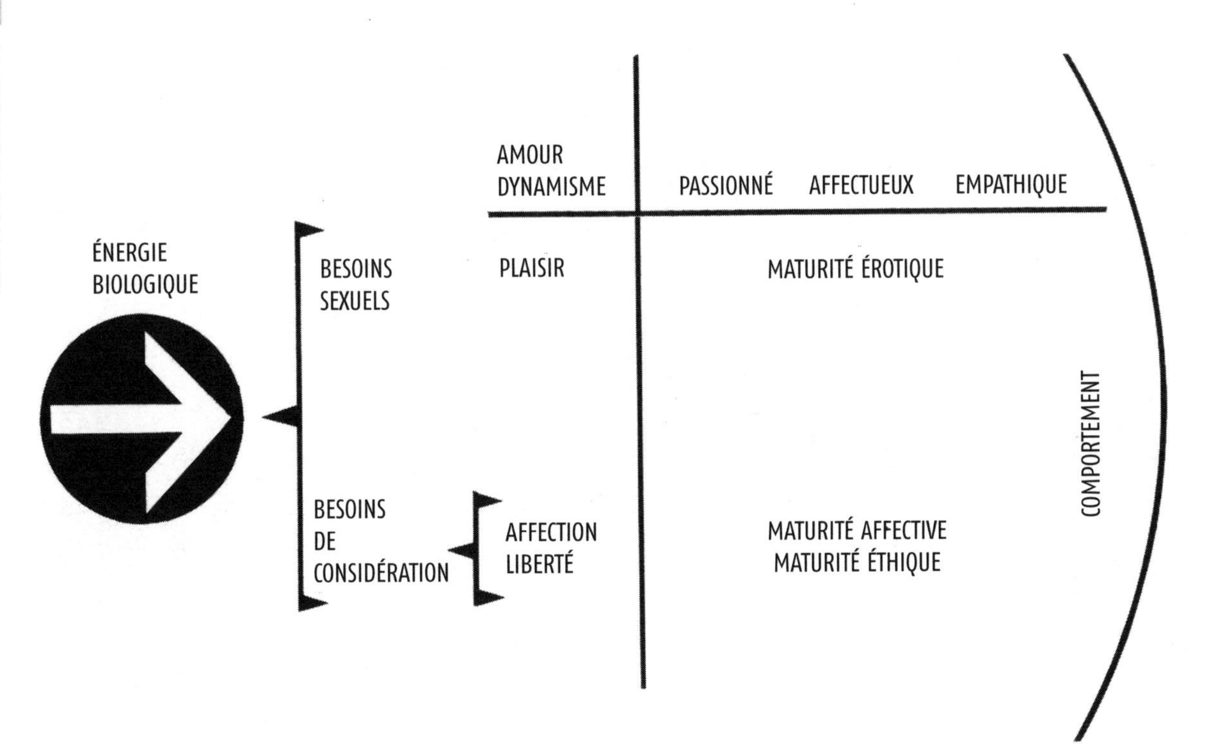

FIG. 5
Composantes de l'expérience d'aimer et d'être aimé

sera d'autant plus adéquate que la personne fera preuve de maturité érotique, de maturité affective et de maturité éthique. L'expérience d'aimer et d'être aimé sera satisfaisante dans la mesure où une personne sera capable d'éprouver sereinement le plaisir sexuel, ou son contraire, l'affection ou son contraire, et dans la mesure où elle sera capable de choisir librement de se rapprocher ou non d'une autre personne. La figure 5 exprime cette réalité. Elle résume l'ensemble des éléments de l'expérience d'aimer et d'être aimé et intègre les modalités de l'amour présentées dans la suite du chapitre.

La relation chaleureuse

L'expérience d'aimer et d'être aimé peut être analysée à partir du champ perceptuel d'une personne, bien qu'elle soit avant tout une expérience de relation interpersonnelle. Lorsqu'on applique le modèle général décrit au chapitre V (figure 3) à la relation chaleureuse, les éléments A et B se situent au premier plan, alors que la cible (C) devient secondaire. On pourrait formuler cette réalité en disant que B est la cible de A et inversement que A est la cible de B : dans les deux cas, la personne de l'autre devient le centre d'intérêt des interlocuteurs. Le schéma de la figure 6 fait ressortir cette particularité : les cercles concentriques A et B, de même que les images A^B et B^A, sont en traits pleins pour indiquer l'importance des deux personnes l'une pour l'autre.

Le terme « chaleureux » employé pour désigner ce type de relation n'est pas très spécifique, car il peut servir à qualifier des relations qui ne sont pas directement orientées vers la satisfaction du besoin de considération. C'est un terme commode, cependant, car son caractère général permet d'englober différentes modalités de l'amour, celles qui seront décrites dans les lignes qui suivent. Dans

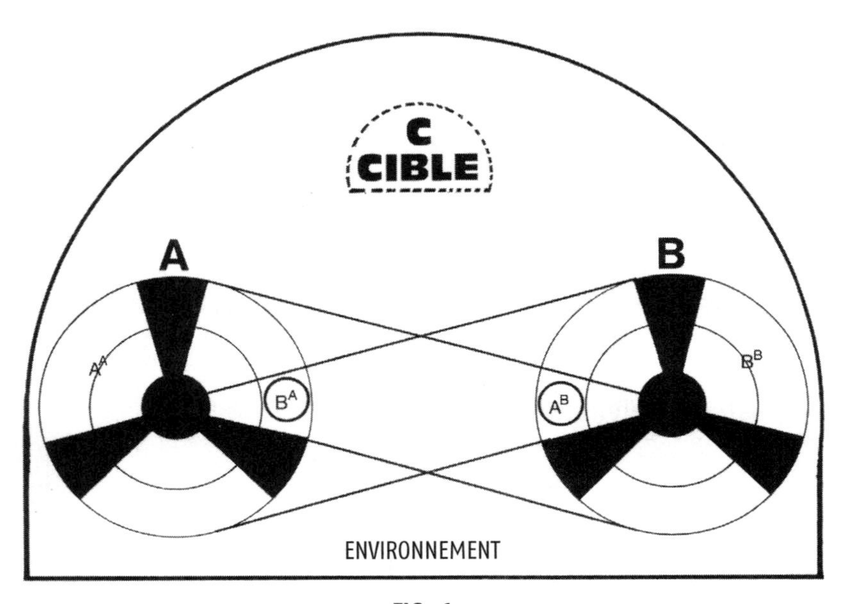

FIG. 6
La relation chaleureuse

le cadre de ce chapitre, il prend donc un sens technique et, lorsqu'il qualifie la relation interpersonnelle, il renvoie toujours à une relation qui naît entre une personne A et une personne B, lorsque cette dernière est perçue comme objet d'amour et comme source d'amour par A. C'est la relation dans laquelle une personne cherche une satisfaction directe de son besoin de considération. Toutes les descriptions contenues dans ce chapitre sont faites selon l'hypothèse de la réciprocité, c'est-à-dire en supposant que les deux personnes éprouvent des sentiments semblables l'une envers l'autre, en supposant qu'elles s'aiment réciproquement. Tel n'est pas toujours le cas en pratique : je peux aimer quelqu'un qui ne m'aime pas ou qui ne se laisse pas aimer par moi, etc. L'hypothèse adoptée ici facilite et simplifie la description. Elle aidera à préciser les caractéristiques de la relation chaleureuse ; on pourra ensuite la laisser de côté et refaire, pour chaque situation concrète, une analyse plus nuancée.

La relation chaleureuse est en même temps une relation qui produit une expérience personnelle d'aimer et d'être aimé et une relation qui résulte de cette expérience. On a vu plus haut que cette expérience est complexe et qu'elle découle d'une intégration de trois dynamismes particuliers. L'intégration de ces dynamismes peut se faire de plusieurs façons, chacune donnant lieu à une modalité de la relation chaleureuse. L'inventaire de ces modalités est impossible, surtout si on veut y inclure les situations où les différents dynamismes ont des ratés. On peut cependant observer certains modes d'intégration qui sont plus typiques et plus faciles à analyser. À titre d'illustration de la façon d'utiliser le cadre d'analyse proposé plus haut, trois modalités seront décrites. Avant d'aborder ces descriptions, rappelons les règles du jeu suivantes : nous supposons que A éprouve un besoin de considération qu'il tente de satisfaire dans sa relation avec B, qu'il est engagé dans un processus de croissance par rapport à cette zone de son champ perceptuel, qu'il a atteint une certaine maturité sur les plans érotique, affectif et éthique, et que B répond de façon adéquate aux attentes de A en se laissant aimer et en éprouvant lui aussi des sentiments qui correspondent à ceux de A. De plus, nous supposons, pour chacune des descriptions, que l'intégration des composantes est la même chez A et chez B. Ces règles du jeu étant très particulières, il est peu probable que le lecteur puisse se reconnaître tout à fait dans l'une ou l'autre de ces trois descriptions : il pourra cependant y puiser les éléments lui permettant d'analyser avec toutes les nuances voulues les relations dont il a lui-même l'expérience. La signification des termes qualifiant chacune des trois modalités de l'amour qui servent à l'illustration varie dans le langage courant, mais il faut s'en tenir aux sens dans lesquels ils sont entendus ici et, au besoin, trouver de meilleurs termes s'ils ne conviennent pas. Les trois modalités de l'amour examinées sont : l'amour passionné, l'amour affectueux et l'amour empathique.

L'AMOUR PASSIONNÉ

L'amour passionné est la modalité de l'amour où la composante érotique est dominante par rapport aux deux autres composantes. Tout l'organisme est en état de tension vers B. Une somme considérable d'énergie biologique est mobilisée et canalisée vers B. Celui-ci est désiré sur le plan sexuel : il devient le catalyseur du dynamisme érotique de A et est perçu comme la seule source de plaisir vraiment adéquate. L'échange sexuel est particulièrement satisfaisant et devient une tentative de fusion l'un dans l'autre. Le champ perceptuel, pour sa part, est littéralement « occupé » par l'image de B (B^A) : A trouve un sens particulier à la vie, il est stimulé dans tous ses processus perceptuels et recherche la compagnie de la personne aimée. Le comportement témoigne, lui aussi, de cette ardeur, non seulement dans l'échange sexuel, où il peut atteindre une grande intensité, mais dans la vie quotidienne, où des centaines de gestes sont accomplis pour alimenter ou canaliser cette passion pour B.

Sur le plan affectif, les sentiments éprouvés envers B sont aussi très mobilisateurs, au point qu'un besoin d'exclusivité peut facilement structurer le champ perceptuel de A. Sans qu'il y ait nécessairement un sentiment de possession, A éprouve un sentiment spontané de jalousie si son partenaire menace l'exclusivité ou le sentiment d'être infidèle s'il se tourne lui-même vers un autre partenaire. L'amour passionné, en effet, ne peut être vécu simultanément avec plusieurs personnes, en raison même de son caractère d'exclusivité. L'image de B (B^A) est surévaluée ; les caractéristiques positives (qualités) de la personne aimée sont exagérées, alors que l'importance des aspects négatifs (défauts) est minimisée: «Il est le plus beau, le plus gentil, le plus adorable des hommes...», «Elle est la femme la plus extraordinaire que la terre ait portée», etc. Tout en étant conscient du caractère non réaliste de sa perception, celui qui aime d'amour passionné s'accommode plus ou moins consciemment de cette déformation agréable de la représentation de la personne aimée, de cette exagération amoureuse qui permet de créer une oasis dans la dure réalité des rapports sociaux.

Au chapitre de la liberté, la personne qui aime d'amour passionné choisit de se laisser guider par la passion qui l'anime. Elle peut s'abandonner sans honte et sans culpabilité à ses sentiments positifs et aux désirs qu'elle éprouve envers B. Contrairement à la personne qui vivrait un tel amour sur un mode défensif, celle qui vit l'amour passionné dans le contexte d'un processus de croissance n'a pas le sentiment d'être dominée par sa passion; elle la voit plutôt comme un moyen de s'actualiser. La maturité éthique, dans ce cas, consiste à choisir de s'abandonner à l'autre, de devenir transparent et vulnérable face à lui. Par ailleurs, la passion étant l'objet d'un choix, elle reste sous le contrôle du soi qui l'intègre dans l'ensemble du développement de la personne, différant parfois le plaisir de l'amour lorsque les circonstances l'exigent. S'il est vrai que c'est un «amour aveugle» selon l'expression populaire, chez la personne qui a atteint la maturité éthique, cet amour n'est jamais aveugle au point de compromettre l'exercice de sa liberté: la passion est circonscrite dans le temps et l'espace, et le mouvement d'abandon demeure toujours l'objet d'un choix, même si son origine est d'ordre impulsif et irrationnel.

À cause de l'importance du dynamisme érotique, l'amour passionné exige la présence physique de l'être aimé et un contact physique entre les partenaires. L'amour passionné ne peut se vivre à distance : dans ces conditions, il s'effriterait ou deviendrait source de frustrations intolérables. De même, le seul contact visuel ou auditif ne suffit pas. Si des personnes engagées dans un amour passionné peuvent être comblées temporairement par la simple vision de l'être aimé, par le son agréable de la voix aimée, la nature de l'amour qu'elles vivent les porte spontanément au contact physique et à l'échange sexuel. Les valeurs de chacun et le souci de se respecter mutuellement peuvent à l'occasion exiger que soit différé l'échange sexuel, mais celui-ci demeure l'aboutissement normal de tout amour passionné.

L'amour passionné présente les mêmes caractéristiques, qu'il soit vécu par un homme et une femme ou par deux personnes du même sexe. Notons en passant que la plupart des psychologues considèrent aujourd'hui que l'homosexualité ne relève pas de la pathologie, mais d'une orientation particulière de l'expérience d'aimer (voir Corrazé, 2002). De toute façon, les processus semblent les mêmes que dans l'expérience hétérosexuelle.

Une dernière caractéristique de l'amour passionné est sa durée relativement courte. Il semble que l'amour passionné entre deux personnes ne puisse durer au-delà d'un certain temps : quelques semaines parfois, quelques mois ou au plus quelques années. Tout se passe comme si l'intensité de cet amour reposait sur une déformation partielle de la représentation que l'on se fait de la personne aimée, une certaine idéalisation du partenaire. Tôt ou tard, très tôt dans certains cas, l'image s'effrite et le demi-dieu de la veille redevient une personne assez ordinaire qui n'éveille plus la passion. Deux possibilités s'offrent alors aux personnes qui vivent ce déclin amoureux : se quitter et chercher à revivre cette intensité amoureuse dans de nouvelles amours ou poursuivre entre elles la relation chaleureuse selon d'autres modalités, celle de l'amour affectueux ou celle de l'amour empathique. C'est un choix fréquent pour un couple qui souhaite fonder une famille dans le prolongement de l'amour passionné.

L'AMOUR AFFECTUEUX

L'amour affectueux constitue une deuxième modalité de l'amour, celle où le dynamisme affectif est dominant par rapport aux deux autres composantes. L'expérience d'aimer dont il est question ici est caractéristique de l'amitié, mais elle ne se limite pas à l'expérience de l'amitié proprement dite ; cette catégorie englobe, par exemple, les formes d'amour qui existent dans une famille : amour paternel, fraternel, maternel, etc. L'amour affectueux est aussi présent dans une relation de couple où les partenaires n'ont jamais connu l'intensité de l'amour passionné.

Dans l'amour affectueux, le dynamisme affectif est le principal moteur de la relation. Il ne présente pas, cependant, le caractère d'exclusivité propre à l'amour passionné. La personne aimée est sans doute perçue comme différente de toutes les autres, mais, contrairement à la situation précédente, les sentiments affectueux ne se concentrent pas sur un seul objet d'amour. La jalousie ou le sentiment d'être infidèle sont absents de l'amour affectueux adulte. Absence, également, des manifestations défensives telles qu'elles apparaissent, par exemple, chez l'enfant jaloux de ses frères et sœurs par crainte de perdre l'affection de ses parents. C'est pourquoi la famille et toute communauté de type fraternel favorisent et valorisent un partage affectif qui va à l'encontre de l'exclusivité. Le tabou de l'inceste, en particulier, contribue à maintenir dans la famille la prédominance de l'amour affectueux.

L'amour affectueux peut, par ailleurs, conduire à une relation privilégiée, soit une relation d'amitié au sens propre du terme, qui comporte une certaine forme d'exclusivité. Toutefois, cette exclusivité ne présente pas le caractère restrictif qu'elle a dans l'amour passionné ; elle découle plutôt d'une longue expérience de communication entre deux personnes. Soit dit en passant, l'emploi du terme « amitié » pour caractériser la réalité de l'« amitié particulière » est tout à fait impropre. Toute amitié est sans doute particulière, mais ici on fait référence à une amitié où apparaissent les caractéristiques de l'amour passionné, par exemple la recherche de l'intimité du couple, l'isolement social, la jalousie, le sentiment d'être infidèle, etc. Dans l'amour affectueux, la présence d'une tierce personne n'est pas menaçante, même si, parfois, elle n'est pas souhaitée. De façon générale, l'amour affectueux, à la différence de l'amour passionné, peut être dirigé simultanément vers plusieurs personnes.

Paradoxalement, l'absence de sentiment d'exclusivité et le caractère gratuit de cette modalité de l'amour peuvent devenir le fondement de la fidélité. Contrairement à la relation d'amour passionné où l'autre est vu à travers le prisme de la passion et est idéalisé, dans l'amour affectueux, on va à la découverte de l'autre tel qu'il est. Comme les partenaires de cette relation ne cherchent pas à protéger ou à créer une image embellie de l'autre, chacun peut avoir accès de plus en plus au monde subjectif de son interlocuteur, et l'amour affectueux se développe sous le signe du partage : partage parfois de biens matériels et des ressources de chacun, mais surtout partage de l'expérience personnelle et des sentiments ressentis l'un envers l'autre et par rapport aux événements de la vie. Le partage est illimité parce que la matière à partager, le contenu vivant et dynamique du champ perceptuel, est illimitée. Tout de même, ce partage ne se fait pas sans heurts, sans tensions et sans de patients apprivoisements réciproques. La fidélité résulte d'une solidarité qui se crée à la faveur du partage et qui prend une grande valeur pour les deux personnes qui vivent cette modalité de l'amour. C'est de là sans doute que vient le dicton suivant: « L'amitié est comme un bon vin; plus elle vieillit, meilleure elle est. »

Pour qu'il y ait amour affectueux, il faut évidemment que le double mouvement du besoin de considération puisse se manifester. Un amour passionné, en raison de sa violence, peut vaincre assez facilement la résistance du partenaire à se laisser aimer, mais, dans l'amour affectueux, où les manifestations affectives sont beaucoup plus discrètes et progressives, l'incapacité chez B à se laisser aimer peut devenir un obstacle majeur à la poursuite de la relation.

La dimension érotique reste présente dans l'amour affectueux et des manifestations sensibles nombreuses peuvent l'exprimer, allant d'une simple poignée de main chaleureuse jusqu'aux caresses intimes et à l'échange sexuel, dans certains cas. Il ne faut pas, en effet, assimiler vie de couple et amour passionné. S'il est vrai que l'amour passionné conduit spontanément à l'échange sexuel, à l'inverse, tout couple ne vit pas sa relation selon le modèle de l'amour passionné. Dans bien des couples, mariés ou non, c'est la sympathie et la tendresse éprouvées l'un pour l'autre qui ont présidé à la formation du couple. La relation chaleureuse y est alors vécue selon le mode de l'amour affectueux. Dans ce cas, l'échange sexuel est vécu de façon différente par les partenaires: il devient un moyen d'exprimer la tendresse et l'affection, et la recherche de fusion qui caractérise l'amour passionné n'apparaît pas ici primordiale.

Cette différence entre l'échange sexuel dans le contexte de l'amour passionné et l'échange sexuel dans celui de l'amour affectueux entraîne aussi une plus grande mobilité dans l'expression du dynamisme de la liberté. L'absence d'échange sexuel risque toujours de menacer sérieusement l'épanouissement d'un amour passionné, alors que, dans l'amour affectueux, l'échange sexuel est un moyen parmi d'autres de communiquer la tendresse et l'affection. C'est pourquoi même si parfois le dynamisme érotique est éveillé spontanément dans l'amour affectueux – par exemple, dans la relation parentale –, il peut être contrôlé et relégué au second plan, le cas échéant. Notons une fois de plus que le contrôle touche ici le comportement et qu'il n'exclut pas l'émergence d'un désir incestueux ou de tout autre mouvement pulsionnel dans le champ perceptuel d'une personne qui vit un amour affectueux à l'égard d'un membre de sa famille. C'est le dynamisme de la liberté qui rend la personne capable de réprimer les mouvements du dynamisme érotique tout en étant ouverte à son expérience. Dans l'amour affectueux, sous toutes ses formes, le dynamisme de la liberté agit en subordonnant le dynamisme érotique au dynamisme affectif. L'affection pour l'autre aide chacun à subordonner son dynamisme érotique aux exigences de l'amour affectueux.

L'amour empathique

Dans les deux modalités que sont l'amour passionné et l'amour affectueux, les sentiments positifs et l'attrait physique facilitent la relation. Malgré toutes les contraintes et restrictions qu'ils peuvent rencontrer, c'est par un mouvement spontané que A et B se rapprochent l'un de l'autre. Une question se pose souvent : est-il possible d'aimer quelqu'un pour qui l'on n'éprouve aucun attrait d'ordre physique ou psychologique ? De nombreuses personnes emploient le terme amour pour désigner de telles relations. Plusieurs philosophies et plusieurs religions, par exemple, prônent l'amour de ses semblables sans y mettre comme condition l'attrait physique ou la sympathie. Le terme « amour empathique » sera utilisé pour souligner l'attitude psychologique qui peut effectivement permettre à deux personnes d'engager une relation qui répond d'une certaine façon à leur besoin de considération.

Dans l'amour empathique, c'est la troisième composante, le dynamisme de la liberté, qui, cette fois, est dominante. Cela signifie que le premier mouvement de A vers B ne résulte pas d'un attrait spontané, mais d'un choix qui est fait en fonction des valeurs de A ou des circonstances particulières qui rapprochent les deux partenaires. Le moteur de la relation n'est pas la passion ni l'affection, mais le *choix* que A fait d'accueillir B ou de découvrir les particularités de son monde subjectif. La compréhension empathique, telle qu'elle a été définie au chapitre IV, devient le moyen de réaliser concrètement cette modalité de l'amour.

Parfois, le choix d'accueillir ou de découvrir l'autre en ce qu'il a d'unique aura pour effet d'éveiller le dynamisme affectif et même le dynamisme érotique chez A. Ces composantes viendront alors faciliter la relation, qui peut d'ailleurs évoluer vers une relation d'amitié, voire vers un amour passionné. Dans bien des cas, cependant, c'est l'inverse qui se produit : le rapprochement maintient ou accentue même les sentiments négatifs. Les deux autres composantes de l'amour se manifestent ici dans la partie négative du continuum. L'ouverture à son expérience permettra à A de déceler une répulsion physique ou une antipathie croissante à l'égard de B, ou même les deux à la fois. L'intégration des trois composantes dans un amour empathique reste possible si et seulement si de telles manifestations sont reconnues et acceptées dans le champ perceptuel de A sans honte et sans culpabilité (authenticité). Il faut en plus que le dynamisme de la liberté soit assez développé chez A, la maturité éthique étant atteinte, pour que celui-ci maintienne face à B les attitudes propres à favoriser le processus de croissance : authenticité, considération positive inconditionnelle et compréhension empathique.

Si A s'acharnait, par ailleurs, à maintenir une relation chaleureuse sans pouvoir respecter ces conditions et neutraliser efficacement les manifestations négatives des dynamismes érotique et affectif, nous serions en présence d'une caricature de l'amour. De telles caricatures apparaissent parfois dans la pratique artificielle et volontariste de la « charité ». Le témoignage de la personne que l'on dit « aimer » aide souvent à distinguer l'amour authentique d'un amour pseudo-empathique. Si l'intégration respecte les trois composantes de l'amour chez A, B témoignera probablement qu'il s'est senti aimé par A, même si celui-ci n'éprouvait aucun attrait physique ni même aucune sympathie à l'égard de B. Dans le cas contraire, B témoignera probablement qu'il s'est senti objet de pitié ou qu'il s'est senti protégé par A, peut-être de façon paternaliste ou condescendante. Dans ce dernier cas, on ne peut en aucune façon parler d'amour.

En résumé

Les trois modes d'intégration des composantes de l'amour décrits en tant qu'« amour passionné », « amour affectueux » et « amour empathique » ont été proposés comme des exemples illustrant la façon d'utiliser le cadre d'analyse présenté dans la première partie du chapitre. Répétons qu'ils n'ont rien d'exhaustif et que chacune de ces modalités exigerait beaucoup de nuances si on voulait l'appliquer à l'analyse d'une relation concrète entre deux personnes. Pour faciliter l'analyse et résumer les principaux éléments des descriptions précédentes, la figure 7 met en évidence neuf caractéristiques de l'expérience d'aimer et d'être aimé, dans un schéma où apparaissent, à gauche, les composantes de l'expérience d'aimer et, en haut, les trois modalités de la relation chaleureuse. Chacun des éléments de ce schéma peut apparaître dans le champ perceptuel d'une personne indépendamment de son intégration dans telle ou telle forme d'amour. Il est ainsi possible de trouver dans l'histoire d'une relation, à différents moments, l'ensemble de ces neuf éléments. Par exemple, un amour passionné peut être vécu avec des moments occasionnels de répulsion face à l'être aimé ; un désir érotique peut émerger dans une relation empathique où la répulsion est la plus habituelle, etc. Ce qui caractérise une modalité, c'est la *fréquence* des expériences mentionnées dans la colonne qui y est consacrée. De plus, la diagonale du schéma indique le dynamisme dominant dans chacune des trois modalités de l'amour qui ont été exposées plus haut : le dynamisme érotique dans l'amour passionné, le dynamisme affectif dans l'amour affectueux et le dynamisme de la liberté dans l'amour empathique. Bien d'autres colonnes devraient être ajoutées à ce schéma pour rendre compte de l'expérience d'aimer et d'être aimé dans son ensemble. Cependant, les trois dynamismes qui correspondent aux trois lignes du schéma devront toujours être pris en considération.

ÉNERGIE BIOLOGIQUE

	AMOUR	AMOUR	AMOUR
DYNAMISME ÉROTIQUE	Intensité des désirs sexuels	Manifestations érotiques : moyens d'exprimer l'affection.	Neutralité érotique ou répulsion spontanée.
DYNAMISME AFFECTIF	exclusivité affective : - jalousie - sentiment d'être infidèle	Partage affectif progressif et non exclusif.	Neutralité affective ou antipathie spontanée.
DYNAMISME DE LA LIBERTÉ	Choix de s'abandonner aux dynamismes érotique et affectif.	Choix de subordonner les dynamismes érotique et affectif.	Authenticité. Considération positive et empathie.

COMPORTEMENT

FIG. 7
Les éléments de la relation chaleureuse

CHAPITRE VII

LA RECHERCHE DE COMPÉTENCE ET LA RELATION COOPÉRATIVE

Le deuxième besoin d'ordre psychologique associé au développement de la personne, le besoin de compétence, est directement lié à l'expérience de produire. Il est à l'origine d'activités dans tous les domaines : artistique, littéraire, technique, scientifique, professionnel, sportif, récréatif, etc. Il se manifeste aussi dans la créativité, cette capacité qu'a l'être humain d'inventer et de faire des choses pour la première fois. Une description de l'expérience de produire fournira quelques balises pour comprendre ce qui fait de l'action humaine une source d'actualisation. La deuxième partie du chapitre traitera de la relation coopérative, relation dans laquelle plusieurs personnes, en s'associant, répondent à leur besoin de compétence par la réalisation d'un projet commun.

L'expérience de produire

La croissance personnelle ou l'actualisation d'une personne passe par l'enchaînement des trois composantes du processus de croissance décrites dans le chapitre IV : ouverture à l'expérience, prise en charge et action sur l'environnement. L'action est un élément requis pour la satisfaction de tous les besoins, mais elle prend une signification toute spéciale lorsqu'on s'intéresse à l'expérience de produire : seule l'action planifiée aura pour effet de répondre au besoin de compétence. Dans le domaine affectif, la satisfaction des besoins n'exige pas une planification. Si, parfois, il faut travailler fort et mettre en œuvre des stratégies compliquées pour combler ses besoins affectifs, il arrive aussi qu'une simple rencontre impromptue aboutisse à une relation chaleureuse. L'initiative peut même venir d'une autre personne et l'action est alors réduite à sa plus simple expression. Dans la recherche de cohérence, le hasard d'une conversation, l'accès aux médias d'information, le visionnement d'un film ou l'habitude de bouquiner peuvent aussi apporter une réponse au besoin fondamental sans qu'une planification soit nécessaire. Pour ce qui est du besoin de compétence, seule une action planifiée, qui résulte d'un choix conscient, est propre à le satisfaire. Pour qu'une personne vive l'expérience de produire ou de créer, trois éléments doivent être réunis : un projet, un engagement et une réalisation.

Le projet

La notion de projet a fait l'objet de recherches variées. Boutinet en a fait une synthèse dans son *Anthropologie du projet* (1990) avant d'élaborer une *Psychologie des conduites à projet* (1993). Pour décrire l'expérience de produire, on peut s'en tenir à la définition courante : « Image d'une situation, d'un état que l'on pense atteindre. » (*Petit Robert.*) À travers un projet, la personne prépare consciemment son action.

L'expérience de produire suppose que l'attention de la personne soit mobilisée par l'action. À cause des habitudes acquises, plusieurs gestes de la vie quotidienne sont accomplis de façon routinière sans qu'il soit nécessaire d'y accorder beaucoup d'attention ; tout se passe comme si la personne avait branché un pilote automatique. Lorsqu'une action est faite consciemment, l'acteur passe au pilotage manuel et toute son attention est mobilisée pour évaluer et, au besoin, corriger son action en fonction de ses intentions. Par exemple, le conducteur qui roule sur une autoroute où il y a peu de circulation peut se fier à ses habitudes et conduire distraitement, pour ainsi dire ; il peut même utiliser un régulateur de vitesse pour ne plus avoir à régler la pression de son pied sur l'accélérateur ; tout en conduisant, il peut alors réfléchir sur une question, s'engager dans une conversation avec un passager ou se délecter de la beauté du paysage. Mais advienne un passage dangereux, toute son attention est requise pour contrôler son action ; il passe du pilotage automatique au pilotage manuel.

Dans la vie courante, la majorité des comportements humains relèvent d'automatismes qu'on appelle des habitudes. Bien qu'elle soit accessible à la conscience (on peut constater que l'on agit de façon automatique), l'habitude est un programme inscrit dans les structures non conscientes de l'organisme. On agit par habitude, par exemple, lorsqu'on se livre à une routine quotidienne qui est à l'opposé d'une action planifiée, requise pour qu'il y ait une expérience de produire ou de créer.

On connaît bien les processus par lesquels l'enfant acquiert les habitudes qui lui permettront de se plier aux contraintes de son milieu et de sa culture non seulement pour survivre, mais pour se développer en mettant à profit tous les acquis de sa culture. C'est le rôle du surmoi qui, depuis les travaux de Freud, est considéré comme le répertoire des « intentions » qui guident l'action d'une personne jusqu'à ce que celle-ci soit en mesure de faire des choix personnels. Pendant la petite enfance, les habitudes sont acquises par introjection, mécanisme qui consiste à faire passer du « dehors » au « dedans » les injonctions des personnes significatives. Chez l'adulte, il en va autrement. Les circonstances de la vie l'amènent progressivement à devenir conscient de ses habitudes, à les évaluer, à les assumer ou à les modifier à mesure qu'il construit son propre système de valeurs. Il acquiert aussi de nouvelles habitudes ; elles servent à économiser son énergie lorsqu'il accomplit des tâches quotidiennes qui n'exigent pas une planification.

Un projet satisfait le besoin de compétence lorsque les trois composantes du processus de croissance s'articulent bien les unes aux autres. Dans un premier temps, la personne est ouverte à son expérience et éprouve le goût de produire quelque chose. Ce goût peut venir d'une stimulation extérieure : on se voit confier une tâche ou un problème à résoudre, on est témoin d'une performance, on reçoit un jeu en cadeau, une réparation s'impose, on est invité à participer à un projet, etc. Il peut aussi surgir à l'improviste, sans influence immédiate de l'environnement : on se lève avec le goût de produire quelque chose. Ce goût peut-être passager et disparaître lorsque la routine mobilise l'attention. S'il persiste, le processus continue.

Pour que s'amorce une expérience de produire, il faut encore que le projet entre dans le champ de compétence de la personne concernée et qu'il l'oriente vers une activité personnelle. Je peux avoir l'idée de demander à quelqu'un de faire quelque chose qui n'est pas dans mes compétences ; c'est une forme de projet, mais ce projet ne conduit pas à l'expérience de produire. Par exemple, si je demande à un menuisier de construire un patio derrière ma maison, cela conduira à une expérience de produire uniquement si je m'associe à l'ouvrier et, bien sûr, si celui-ci accepte que je travaille avec lui. Cet aspect sera abordé plus loin, dans la partie consacrée à la relation coopérative.

Si mon projet persiste et mobilise mon énergie dans un champ de compétence que je me reconnais, il en résulte une prise en charge et une action sur l'environnement. Dans l'expérience de produire, la prise en charge prend la forme d'un engagement, alors que l'action correspond à la réalisation du projet.

L'ENGAGEMENT

La prise en charge, ou l'engagement, commence par une délibération avec soi-même. Souvent, le but est déterminé : je veux construire une niche pour le chien, repeindre une pièce, terminer un puzzle ou une grille de mots croisés, écrire un texte. Parfois, on se met à jouer avec un matériau sans savoir où cela peut mener, comme dans certaines expériences de création artistique.

Que le but soit déterminé ou que l'action soit gratuite, le processus mental de l'engagement prend la forme d'une planification. Les modalités varient selon les personnes et les situations. Certains ne commenceront pas à agir avant d'avoir un plan détaillé, d'autres se lanceront dans l'action et procéderont par essais et erreurs. Dans ce dernier cas, la planification est réduite à sa plus simple expression : décider du matériel dont on a besoin, déterminer où on peut le trouver, décider du temps dont on dispose, etc. Certains projets demanderont une planification plus poussée. On n'entreprend pas de construire une maison sans avoir un plan d'exécution.

Pour que le projet conduise à une expérience de produire, il faut que l'engagement prenne aussi la forme d'un choix. À ce chapitre, les modes de fonctionnement varient d'une personne à l'autre : certaines personnes sont très rationnelles, appuyant leur projet sur des valeurs et des principes très bien définis ; d'autres préfèrent un mode affectif et accordent une importance prépondérante au ressenti (au *feeling*) pour orienter leur action, ne passant jamais à la réalisation sans d'abord se sentir à l'aise avec l'action projetée ; d'autres encore penchent plutôt pour le mode imaginaire, prenant leurs décisions en fonction surtout d'une représentation globale et imprécise de la réalité.

Quelles que soient les différences individuelles, on peut présumer, cependant, que la qualité des choix personnels augmentera chez une personne si elle se place alternativement dans plusieurs modes au cours de la délibération qui précède le choix. Les processus cognitifs permettent à un acteur de faire une planification réaliste. Les processus affectifs lui permettent d'évaluer le degré de satisfaction qu'il peut attendre de la réalisation de son projet. Le mode imaginaire peut aussi intervenir dans la délibération avec soi-même. Par exemple, en imaginant divers scénarios, on peut jouer avec différentes possibilités avant d'arrêter son choix.

L'engagement sera complet lorsqu'on aura mis fin à la délibération et qu'on sera prêt à agir. Si une action impulsive peut faire avorter un projet qui n'a pas fait l'objet d'une planification, une délibération exagérée peut retarder indûment la réalisation du projet et rendre impossible l'expérience de produire.

La réalisation

Enfin, la troisième composante du processus de croissance entre en jeu lorsque la personne entreprend la réalisation du projet. On a vu que la séquence n'est pas toujours linéaire : l'action peut débuter avant que la planification soit complétée et contribuer, par essais et erreurs, à faire évoluer le projet ; elle peut même faire surgir, dans le champ de la conscience, d'autres idées et conduire au remplacement du projet initial par un autre, plus attrayant. L'action est souvent le test ultime de la qualité de la planification et des choix que l'on a faits au moment de l'engagement. Il y a une différence majeure, par exemple, entre le mouvement de velléité d'une personne qui prend régulièrement des résolutions sans jamais passer aux actes et l'engagement qui porte une personne à se compromettre, à se mouiller, comme on dit souvent. C'est dans l'action que la personne vit pleinement l'expérience de produire.

Quel que soit le rapport entre le projet, l'engagement et l'action, l'autorégulation est toujours à l'œuvre. Toute action est une sorte de dialogue entre la personne et son environnement ; aucune préparation ne peut prendre en considération tous les éléments de la situation particulière dans laquelle une personne agit. Il est rare que l'on puisse réaliser un projet sans avoir à l'ajuster. Pour être productive, l'action doit continuellement être évaluée et corrigée à partir des informations nouvelles qui surgissent au cours de la réalisation.

Enfin, le besoin de compétence commande une autoévaluation du produit. Il y a souvent un écart entre le produit final et le produit projeté. La réalisation peut aussi donner des résultats qui dépassent les attentes de l'acteur. Dans un cas comme dans l'autre, la satisfaction que l'on éprouve face au produit complète l'expérience. Certains seront plus exigeants, au point parfois de détruire l'œuvre qui ne répond pas parfaitement à leurs attentes. Ils ne vivront pas l'expérience d'avoir produit quelque chose de valable. D'autres seront satisfaits même d'un produit médiocre, le plaisir se rattachant davantage au processus : ils ont eu du plaisir à faire ou à inventer quelque chose, ou même à essayer sans succès. L'expérience de produire est complète lorsque la personne vit ce que Lewin (1936) a appelé une « expérience de succès psychologique », expérience qui se produit lorsqu'on détermine soi-même un but et lorsque, en plus, on choisit les moyens de l'atteindre.

La relation coopérative

Contrairement à l'expérience d'aimer et d'être aimé, abordée au chapitre précédent, l'expérience de produire et de créer ne requiert pas, pour être satisfaisante, une relation interpersonnelle. Une personne peut satisfaire son besoin de compétence sans la participation immédiate d'une autre personne. La relation dite coopérative n'est donc pas un élément essentiel de l'expérience de produire ou de créer ; elle est plutôt un moyen parmi d'autres de répondre au besoin fondamental de compétence. Il semble cependant que ce soit un moyen de plus en plus privilégié, car la complexité des tâches auxquelles l'être humain est confronté aujourd'hui exige souvent la participation de plusieurs personnes. Une relation coopérative s'établit entre deux personnes lorsque l'une et l'autre s'allient pour répondre à leur besoin respectif de compétence.

L'analyse de cette relation qui est faite ici suppose que les deux personnes (A et B) sont animées du même besoin et que les deux vivent cette relation dans le contexte d'un processus de croissance. La relation coopérative est donc un moyen de s'actualiser. Elle fait appel, chez les deux partenaires, à un processus de transformation de leur énergie biologique qui est, en l'occurrence, mobilisée par l'élément C (la cible) du modèle général de la relation interpersonnelle présenté au chapitre V (voir la figure 3). La figure 8 reprend ce modèle en mettant en évidence (traits pleins) les éléments essentiels de la relation coopérative.

Avant de définir la relation coopérative, il importe de bien la distinguer de la relation fonctionnelle décrite au chapitre V. Dans ce dernier cas, on a vu que la relation n'est pas personnalisée, car l'interlocuteur de A n'est qu'un instrument dans la satisfaction des besoins de ce dernier. Dans la relation coopérative, les deux personnes sont

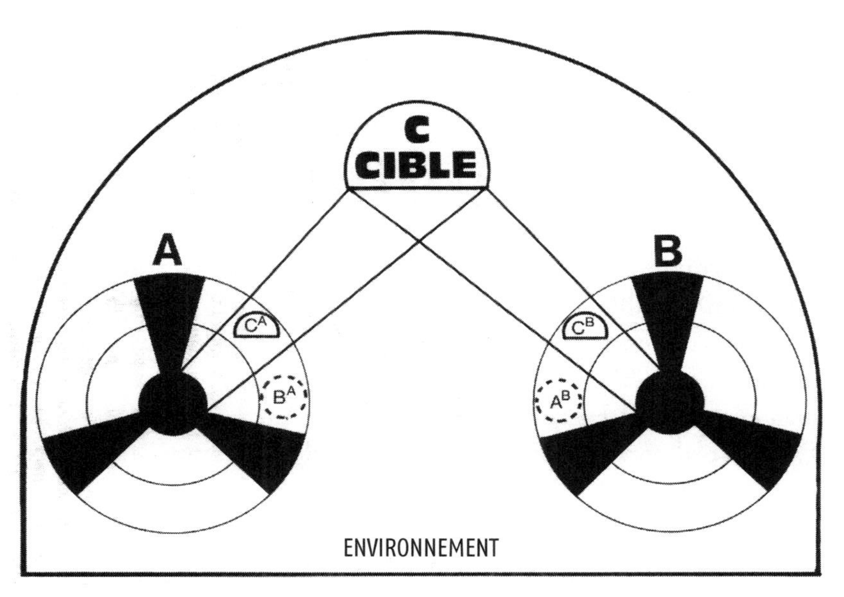

FIG. 8
La relation coopérative

impliquées et chacune des deux perçoit l'autre comme un collaborateur, une aide utile, sinon indispensable, pour atteindre la cible visée. Déjà, cette distinction permet de comprendre pourquoi tant de relations de travail sont insatisfaisantes. Combien de personnes, en effet, ne peuvent collaborer avec d'autres dans l'accomplissement d'une tâche parce qu'elles sont incapables de leur faire confiance ou d'accréditer des perceptions différentes des leurs ; les autres sont parfois utilisés, dans une relation fonctionnelle, mais ils demeurent des exécutants de second ordre, des instruments ou des manœuvres qui ne participent pas au processus créateur. La distinction permet, en particulier, d'analyser les phénomènes de consultation et de participation, qui très souvent n'ont que les apparences de la relation coopérative.

L'élément clé pour que l'on parle de coopération est relié à la cible, comme l'illustre le schéma de la figure 8. La coopération exige une cible commune. Sauf en de rares exceptions où des personnes pourraient se retrouver engagées par hasard dans la réalisation d'un projet, une relation débute parce qu'une des personnes concernées a pris l'initiative du projet. C'est elle qui introduit la cible. Même dans les conditions les plus favorables où tout indique qu'une coopération est possible, il faudra vérifier si le projet, tel que le propose celui qui en prend l'initiative, éveille chez l'autre une motivation suffisante pour qu'il vive lui aussi une expérience de produire. La relation évoluera différemment si, par exemple, un ami me propose de l'aider à réaliser son projet ou si je fais appel à ses compétences pour réaliser mon projet. Elle sera aussi très différente si l'un accepte pour rendre service, mais sans y trouver un intérêt personnel.

La relation coopérative n'étant jamais donnée d'emblée, elle demande qu'on se préoccupe de l'établir pour que les deux partenaires y vivent une expérience de produire qui contribue à leur croissance personnelle. Trois conditions sont requises: un projet commun, des compétences complémentaires et une influence réciproque.

Un projet commun

Pour qu'il y ait coopération entre deux partenaires, il faut d'abord qu'il y ait un projet à réaliser en commun. Il faut aussi que la personne qui est sollicitée en vue de la réalisation de ce projet ait une motivation assez grande pour s'y engager. Si ce n'est pas le cas et si elle accepte uniquement pour rendre service, elle ne peut s'attendre à vivre une expérience de succès reliée à l'expérience de produire, à moins que la motivation ne surgisse en cours de route. Peu importe de qui vient l'initiative, la relation coopérative exigera que le projet soit discuté et précisé conjointement par les deux partenaires. Souvent, cet échange de vues fait évoluer le projet de façon que chacun puisse se l'approprier.

Même s'il arrive souvent qu'une relation coopérative comporte des éléments d'un autre type de relation, par exemple de la relation chaleureuse, l'attention des partenaires y reste concentrée sur la cible. Les ressources sont mises en commun ; on ne cherche pas à déterminer qui a fait quoi, c'est le résultat qui compte. La coopération s'oppose ici à la compétition – ou à la rivalité – où l'un des deux partenaires cherche plus à briller et à l'emporter sur l'autre qu'à donner la primauté à la réalisation du projet. De même, lorsque les deux interlocuteurs critiquent, de part et d'autre, leurs gestes ou leurs idées dans la réalisation du projet, la discussion est objectivée et aucun des deux ne se sent rejeté ou amoindri si ses idées ne sont pas retenues. Lorsque cette relation s'établit entre les membres d'un groupe de travail, on reconnaît volontiers que les idées appartiennent au groupe : une idée est retenue non pas pour éviter de froisser un participant, mais parce qu'elle se révèle efficace compte tenu de la cible.

Il ne faut toutefois pas conclure que la compétition, la jalousie ou la valorisation personnelle seront automatiquement exclues de la relation. Très souvent, elles peuvent émerger dans le champ perceptuel des partenaires, mais, lorsque cela se produit, chacun prend soin de mettre entre parenthèses ses réactions personnelles et de les subordonner à la réalisation du projet. C'est une première façon d'accorder la primauté à la cible. Cette primauté de la cible entraîne souvent une personne à entrer en relation avec d'autres personnes avec qui elle a peu d'affinités, voire envers qui elle éprouve de l'antipathie. L'intérêt pour la cible mobilise l'énergie biologique qui, au lieu de se traduire par des émotions désagréables, se transforme en créativité, car les ressources de l'autre sont perçues comme suffisamment utiles pour que l'antipathie passe au second plan. Combien de personnes se sont un jour rapprochées l'une de l'autre à l'occasion d'une tâche commune, alors que tout semblait les opposer? Cette primauté de la cible apparaît aussi dans une relation où les partenaires sont sympathiques l'un à l'autre. La mise entre parenthèses porte cette fois sur les sentiments positifs; on diffère, par exemple, les échanges affectifs qui se feraient au détriment du projet en cours de réalisation. On préférera se donner un temps de célébration lorsque le projet sera achevé.

Une autre façon de donner la primauté à la cible, dans une relation coopérative, est de bien définir les rôles que chacun des partenaires aura à jouer. Une personne peut, du fait de sa fonction ou de sa situation, adopter des comportements qui sont exigés d'elle en raison même de cette fonction ou de cette situation. Un ouvrier syndiqué, par exemple, peut être amené à se prononcer, par un vote, sur un problème qui le concerne peu en tant que personne. Il peut toujours s'abstenir de se prononcer, mais c'est déjà une façon de prendre position; en ce sens, la cible lui est imposée en raison du rôle qu'il joue dans la société. Il en est ainsi pour tout citoyen dans une démocratie à l'occasion d'une élection générale. Dans la relation interpersonnelle, un phénomène semblable peut se produire. Si un adolescent demande à son père de coopérer à un projet de vacances, la cible en question mobilise l'attention du père en vertu de son rôle de père. Là encore, elle lui est imposée, au point qu'il prend position même s'il refuse de discuter avec son garçon du projet mis en avant.

Le fait d'être conscient de son rôle peut aider également à la mise entre parenthèses des expériences qui ne concernent pas le projet en cours de réalisation. Par exemple, dans une entreprise familiale, la discussion d'un problème de gestion n'est certes pas facilitée lorsque le père et le fils ont des opinions divergentes sur la manière d'administrer leur entreprise. Si le fils est incapable de dissocier son rôle de fils de son rôle de directeur de l'entreprise dont son père est le président, il sera incapable de se concentrer sur une cible de façon coopérative et de mettre entre parenthèses les sentiments variés qu'il éprouve en s'opposant à son père. S'il parvient, par ailleurs, à bien cerner les différents rôles qu'il peut adopter face à son père, il réussira peut-être à s'engager alternativement dans des relations coopératives et chaleureuses avec son père, sans que ce soit au détriment de la cible ni au détriment de leur relation familiale.

De façon générale, on peut faciliter les relations coopératives en s'exerçant à reconnaître les rôles possibles et en évitant de les confondre. C'est là une discipline difficile à acquérir dans certaines circonstances, mais les personnes qui y parviennent réussissent à maintenir les conditions de la coopération dans des situations très complexes et très délicates. Ces personnes peuvent, en effet, donner la primauté à la cible qui fait l'objet de la relation, sans se laisser distraire par des considérations d'ordre personnel ou par leurs émotions.

Des compétences complémentaires

On a vu qu'un projet conduit à l'expérience de produire lorsqu'il entre dans les compétences d'une personne. Ce qui entraîne le désir de s'associer à un partenaire vient souvent des limites de ses propres compétences. On cherche à s'associer à une personne qui apportera des compétences complémentaires. La coopération est possible si les deux conditions suivantes sont réunies : l'acteur se reconnaît les compétences spécifiques par rapport au projet et il estime que son interlocuteur a, lui aussi, des compétences spécifiques pour la réalisation du projet.

On peut se poser la question suivante pour déterminer s'il y a matière à coopération dans la réalisation d'un projet particulier: «Est-ce que j'ai besoin des compétences et des ressources d'une autre personne pour réaliser mon projet?» Si la réponse est non, la coopération sera plus difficile à établir. Par ailleurs, le fait de travailler à deux peut être une source de motivation suffisante, même dans un projet que je pourrais réaliser seul.

Si je demande à un ami de m'aider à construire une niche à chien, la définition des champs de compétence ne sera pas la même si nous sommes tous les deux amateurs ou si un des deux a une expérience personnelle ou professionnelle pour réaliser une partie de la construction. La coopération sera plus facile, par exemple, si l'un des deux est reconnu comme le «menuisier» et l'autre, comme le «gestionnaire».

Dans l'optique de la psychologie perceptuelle, il est important de préciser que le critère de compétence dont il est question est d'ordre subjectif. Pour qu'il y ait relation coopérative, il faut que A se perçoive comme compétent (A^A), qu'il perçoive B comme compétent (B^A), que B lui-même se perçoive comme compétent (B^B) et enfin que B perçoive A comme compétent (A^B). La relation coopérative sera satisfaisante dans la mesure où les deux interlocuteurs sont compétents et se perçoivent tels; elle pourra aussi l'être même si les perceptions sont erronées et si la réalisation du projet fait ressortir ultérieurement des lacunes chez l'un ou de l'autre des partenaires. Notons qu'il n'est pas nécessaire, pour qu'il y ait relation coopérative, que la compétence soit totale. Par exemple, je peux me sentir partiellement compétent en ce qui touche certains problèmes qui sont soumis à l'attention d'un comité dont je fais partie. Dans la mesure où je sens que ma présence est justifiée, ne serait-ce que par la possibilité que j'ai de poser des questions naïves, je peux m'engager dans une relation coopérative avec les membres de ce comité. C'est souvent cette perception d'une compétence partielle qui fait l'intérêt de la relation coopérative.

Une influence réciproque

Plus les partenaires d'une relation se perçoivent mutuellement comme compétents, plus ils acceptent de s'influencer : leurs intérêts convergent et ils ont besoin l'un de l'autre pour réaliser le projet. La dernière condition pour maintenir une relation coopérative consiste à respecter les champs de compétence qu'on aura délimités : un champ de compétence exclusif de A, un champ de compétence exclusif de B et un champ de compétence partagé.

Un champ de compétence exclusif correspond à l'ensemble des éléments pour lesquels une personne est considérée comme plus compétente que l'autre. On la considère comme le centre de décision pour tout ce qui entre dans son champ de compétence exclusif. Si l'on reprend l'exemple de la niche à chien, le « menuisier » sera le centre de décision en ce qui concerne la façon de procéder, alors que le centre de décision se déplacera spontanément vers le gestionnaire au moment d'acheter les matériaux. Si rien ne permet de déceler un champ de compétence particulier pour l'un et l'autre, il n'y aura pas de champ de compétence exclusif. La coopération demeure possible, mais on risque de longues discussions si les deux se perçoivent comme partenaires à part entière pour toutes les étapes du projet.

Le fait de situer un aspect du projet dans un champ de compétence exclusif n'élimine pas la discussion entre les partenaires. Cela signifie seulement qu'après discussion, si une divergence subsiste, on fait confiance à la personne dont la compétence est reconnue ; c'est elle qui a le dernier mot et prend la décision. Cela signifie également une absence d'ingérence quant à la façon de discuter : on soumet ses idées à son partenaire pour l'aider à faire un choix éclairé et non comme des arguments pour l'emporter.

Le champ de compétence partagé, pour sa part, contient les éléments pour lesquels on considère que les deux partenaires ont une compétence équivalente. En conséquence, la coopération demande que les décisions s'y rapportant se fondent sur un consensus.

L'influence est réciproque lorsque les partenaires s'entendent, explicitement ou implicitement, sur ce qui relève de chacun de ces trois champs de compétence, lorsqu'ils évitent toute ingérence dans le champ de compétence exclusif de leur partenaire et lorsqu'ils évitent toute décision unilatérale sur des sujets relevant du champ de compétence partagé. Même si elle n'emploie pas ce vocabulaire technique, c'est ce qu'exprime la personne qui dit : « Nous travaillons bien ensemble. » Bien qu'on ait avantage à prévoir les principaux éléments qui feront partie de chacun des trois champs de compétence, on ne peut tout prévoir ; pour maintenir l'équilibre du pouvoir, il est utile, en cas de doute, de s'entendre sur le centre de décision avant de s'engager dans une discussion portant sur des divergences importantes. D'autres ouvrages ont été consacrés à la façon d'établir et de maintenir une relation coopérative et aux règles qui favorisent une bonne communication (voir St-Arnaud, 2003, 2004).

CHAPITRE VIII

LA RECHERCHE DE COHÉRENCE ET LA RELATION HEURISTIQUE

Le troisième besoin fondamental d'ordre psychologique a été désigné, dans les chapitres précédents, comme un besoin de cohérence. L'expérience de se comprendre soi-même ou de comprendre ce qui se passe autour de soi conduit à la satisfaction de ce besoin fondamental. On a vu, en particulier, dans le chapitre III que Frankl (1967) considérait la motivation centrale de l'être humain comme une recherche de signification (*meaning*). Cette recherche met en jeu les processus cognitifs, qui sont au premier plan de la recherche scientifique contemporaine (voir Varela, 1989 ; Varela, Thompson et Rosch, 1993). Le développement des théories constructivistes contribue également à comprendre cette dimension de la motivation humaine (voir Rosen et Kuehlwein, 1996).

Sans viser à une description exhaustive de l'expérience de comprendre, ce chapitre présente, dans une première partie, quelques éléments pour cerner, dans ses grandes lignes, ce qu'on pourrait appeler la symbolisation de l'expérience humaine. Une question guide cette démarche : à quels signes peut-on reconnaître que l'énergie biologique d'une personne est mobilisée, à l'intérieur de son champ perceptuel, dans un processus susceptible de satisfaire son besoin de cohérence ? Dans la seconde partie, nous nous référons au modèle de la relation interpersonnelle présenté au chapitre V pour décrire les caractéristiques de la relation où deux personnes s'entraident dans leur recherche de cohérence. Le terme heuristique — « qui sert à la découverte » — sera employé pour caractériser à la fois le processus qui permet de répondre au besoin de cohérence et la relation au cours de laquelle on cherche à satisfaire ce besoin.

L'expérience de comprendre

De tous les auteurs qui ont étudié le processus de symbolisation de l'expérience, dans l'optique de la psychologie perceptuelle, Gendlin (1962, 1992) est celui qui fournit les données les plus complètes. La théorie de Gendlin a été publiée d'abord dans un volume dont le titre révèle clairement l'angle sous lequel ce processus est abordé : *Experiencing and the Creation of Meaning* (1962). À plusieurs reprises dans le chapitre précédent, le terme expérience a été utilisé pour désigner les manifestations de l'énergie biologique à l'intérieur du champ perceptuel. Gendlin préfère pour sa part le terme *experiencing* ; c'est une façon de mettre l'accent sur les processus plutôt que sur les contenus du champ perceptuel. La théorie de Gendlin ne sera pas présentée comme telle, mais elle servira de cadre général pour expliciter les quatre étapes du processus par lequel une personne satisfait son besoin de cohérence. La remarque déjà faite au sujet des écrits de Rogers s'applique ici : il est possible que le point de vue particulier adopté dans ce chapitre ne rende pas justice aux théories de l'auteur qui les inspire ; le lecteur qui s'intéresse aux théories originales devra se reporter directement aux écrits des auteurs. Le processus de l'*experiencing*, par exemple, tel que le définit Gendlin, n'est pas propre à la satisfaction du seul besoin de cohérence. Il s'applique à la symbolisation de toute expérience humaine, alors qu'il est envisagé ici sous l'angle précis de la satisfaction du besoin de cohérence. Dans cette optique, le processus heuristique sera analysé suivant quatre étapes, qui peuvent être vécues quasi simultanément, mais qui s'enchaînent logiquement dans l'ordre où elles sont présentées. Ce sont : la perception d'un stimulus heuristique, l'éveil psychologique, la focalisation et l'expression.

Le stimulus heuristique

L'explication des besoins fondamentaux a permis d'établir qu'il y a en chaque personne une prédisposition innée – le besoin de cohérence – à organiser les perceptions qu'elle a d'elle-même et de son environnement de façon à éliminer toute contradiction. C'est dire que la personne humaine qui s'actualise est porteuse de questions et qu'elle est spontanément stimulée par tout ce qui se passe en elle et dans son environnement. La notion de stimulus heuristique renvoie à tout événement, interne ou externe à la personne, qui est susceptible d'éveiller et de satisfaire le besoin de cohérence. Tout ce qui entre dans le champ perceptuel peut devenir un tel stimulus, mais le terme heuristique attire l'attention sur le fait que l'énergie biologique est mobilisée d'une façon particulière par cet événement et déclenche un processus particulier qui favorise la découverte : le processus heuristique.

La perception d'un stimulus heuristique est donc à l'origine de la recherche de cohérence. Cela signifie que, dans mon interaction avec l'environnement ou avec moi-même, un événement m'interpelle à tel moment précis. Par exemple, si je m'intéresse à la psychologie et si je vois par hasard un nouveau titre, mon attention est captée par ce livre qui devient un stimulus heuristique. Dans une autre circonstance, si j'ai une réaction inhabituelle qui m'étonne moi-même, cette expérience peut devenir un stimulus heuristique qui m'aidera à progresser dans ma représentation de moi-même. On peut généraliser en disant que tout ce qu'une personne perçoit comme une source de connaissance ou de signification est pour elle un stimulus heuristique. Il en est ainsi de ce qui apparaît comme «nouveau»: objet, façon de faire, façon de penser, valeur, etc. Selon l'expression de Festinger (1975), tout ce qui crée dans le champ perceptuel une dissonance cognitive devient spontanément un stimulus heuristique pour la personne qui vit ce phénomène. Le stimulus heuristique est donc une perception qui a cette caractéristique d'enclencher un mouvement dans le champ perceptuel, mouvement qui se poursuivra à travers les autres étapes.

L'éveil psychologique

Il ne suffit pas qu'il y ait perception d'un stimulus heuristique pour que l'expérience de comprendre se poursuive. Devant les milliers de stimuli qui activent mon champ perceptuel, je choisis. Je peux choisir de répondre à tel besoin plutôt qu'à tel autre, je peux différer l'expérience de comprendre et choisir, pour toutes sortes de raisons, conscientes et inconscientes, de ne pas donner suite à la perception du stimulus heuristique. Pour qu'il y ait expérience de comprendre, il faut aussi un éveil particulier à l'intérieur du champ perceptuel. L'éveil se produit lorsque je choisis de maintenir mon attention sur le stimulus heuristique et d'y réagir. D'une certaine façon, l'éveil est déjà fait lorsqu'il y a perception. Des études psychophysiologiques ont montré que la perception est possible dans la mesure où le cortex cérébral est déjà en état d'alerte pour recevoir les sensations produites par un objet (voir Delorme, 1982). L'éveil dont il s'agit ici est plus spécifique, cependant: c'est l'éveil du besoin de cohérence.

Dans le prolongement de la perception du stimulus heuristique, un lien s'établit entre un événement et une préoccupation de la personne. Cette préoccupation peut être plus ou moins centrale et les circonstances peuvent être plus ou moins favorables pour y donner suite, mais, lorsque le besoin de cohérence est suffisamment stimulé, je peux me concentrer sur le stimulus heuristique, favoriser l'émergence en moi de questions ou de réactions de toutes sortes et m'adonner à la satisfaction de ce besoin.

En présence du livre qui pique ma curiosité, je peux percevoir un stimulus heuristique, acheter le bouquin et en différer la lecture parce que d'autres tâches plus importantes mobilisent actuellement mon énergie. Dans ce cas, je ne laisse pas l'éveil se produire ; le processus est interrompu. Par ailleurs, lorsque je me serai enfin libéré des autres préoccupations et aurai créé les conditions favorables, je pourrai m'adonner à la lecture de ce livre. L'éveil s'étant alors produit, les autres processus du champ perceptuel sont momentanément inhibés. Le besoin de cohérence mobilise l'énergie biologique et le processus heuristique se poursuit.

L'éveil, deuxième étape du processus de compréhension, s'inscrit dans un processus circulaire et il a pour effet de maintenir ou même d'accentuer la perception du stimulus heuristique, celui-ci entraînant un éveil plus poussé. Les perceptions deviennent ainsi de plus en plus sélectives et l'attention se concentre sur les seuls éléments du champ perceptuel qui facilitent l'expérience de comprendre. Les autres éléments sont mis de côté ou inhibés temporairement. Des psychologues ont analysé cette sélection perceptive sous l'angle d'un phénomène figure-fond : sur le fond de plusieurs milliers de perceptions qui constituent le champ perceptuel, des éléments se regroupent et constituent la figure, objet de l'attention de la personne (voir Delorme, 1982).

La focalisation

Une fois que l'éveil s'est produit et dans la mesure où les conditions favorables sont réunies, le processus se poursuit à travers une troisième étape, celle de la focalisation. Lorsque je cherche à comprendre, je ne peux satisfaire ce besoin par une simple mémorisation du vocabulaire ou par des idées qui me viennent des autres. Ces éléments sont autant de stimuli heuristiques, mais il y a vraiment compréhension lorsque, l'éveil s'étant produit, je porte attention à l'expérience qu'a suscitée en moi le stimulus heuristique. Si je cherche à comprendre ce qu'est la personne humaine, je peux lire le présent ouvrage et le trouver plus ou moins stimulant. Il ne peut m'aider à comprendre vraiment ce qu'est la personne tant que je ne retourne pas à l'expérience que suscite en moi cette lecture. L'étape de la focalisation est celle qui permet de comprendre par l'intérieur une réalité quelconque. Elle consiste à demeurer attentif au mouvement que produit en moi le contact avec le stimulus heuristique. La symbolisation de cette expérience se fait progressivement lorsque je me mets à l'écoute de ce qui surgit en moi. La source principale de la connaissance n'est pas à l'extérieur de la personne, mais bien en elle : c'est l'énergie biologique de cette personne qui est mobilisée grâce au stimulus heuristique et qui se transforme en une expérience particulière. Cette expérience, au début très globale ou très diffuse, se déploie progressivement à travers les structures déjà constituées dans le champ perceptuel de la personne. L'expérience devient image, concept, idée, opinion. Elle se prête alors à l'analyse intellectuelle et peut être emmagasinée dans la mémoire.

La symbolisation peut se faire selon plusieurs modalités. Gendlin (1992) distingue plusieurs niveaux, à partir de ce qu'il appelle le « sens corporel ». Je peux, lorsqu'il y a stimulation heuristique et éveil, rester attentif à une zone de mon champ perceptuel où « quelque chose est en train d'émerger». Sans pouvoir identifier de façon plus précise ce quelque chose, je reste attentif, délibérément concentré sur cette zone: là où *cela* se produit, sans même savoir ce que *cela* est. Partant de ce sens corporel, la focalisation peut alors se poursuivre: l'expérience se déploie progressivement et atteint le niveau de symbolisation le plus poussé lorsqu'elle est traduite en concepts. Il est difficile d'analyser plus en profondeur ce processus dans le cadre de ce livre, mais retenons l'idée principale que la connaissance n'est pas une importation de données intellectuelles empruntées à un ouvrage ou à une personne, mais bien une production originale qui se fait en réaction à des stimuli heuristiques. Il est pertinent, dans ce contexte, de distinguer le livre écrit par un auteur et le livre du lecteur; c'est le sens que chacun donne aux phrases d'un livre qui répond à son besoin de cohérence, peu importe que son interprétation soit ou non fidèle à ce que l'auteur a voulu communiquer.

À cette troisième étape du processus, l'aspect circulaire déjà mentionné à l'étape précédente se manifeste également: plus la focalisation permet à l'expérience de se déployer, plus l'éveil s'intensifie et plus la personne se concentre sur le stimulus heuristique. Celui-ci maintient et accentue l'éveil qui permet une focalisation de plus en plus poussée, dont le résultat est une symbolisation de plus en plus adéquate de l'expérience. Il est fréquent qu'une personne complètement absorbée dans sa lecture n'entende même pas une question qu'on lui pose.

Pour que l'éveil et la focalisation se produisent, plusieurs conditions semblent nécessaires. Rappelons une remarque faite au sujet de la motivation, à savoir que si des besoins physiologiques ne sont pas satisfaits, l'éveil du besoin de cohérence est compromis. Il est évident, par exemple, qu'une personne affamée ou privée de sommeil depuis vingt-quatre heures pourrait difficilement poursuivre un processus heuristique. La seule « figure » qui pourrait émerger dans le champ perceptuel de cette personne serait celle de la faim ou du sommeil. De façon générale, le processus heuristique apparaît fragile ; pour s'enclencher et se poursuivre de façon adéquate, il suppose beaucoup de tranquillité et de paix intérieure. Il peut aussi être compromis par la présence de processus défensifs, que nous avons vus au chapitre IV ; l'anxiété, la tension, la fatigue, des réactions émotives de toutes sortes peuvent empêcher le processus heuristique d'évoluer vers une satisfaction du besoin de cohérence. C'est pourquoi la personne qui ne parvient pas à se percevoir elle-même adéquatement, pour cause de tension psychologique, peut avoir besoin d'une relation d'aide, celle-ci ayant pour but de lui fournir des conditions favorables à la poursuite d'un processus heuristique.

L'expression

Selon la phrase bien connue de Boileau, « ce que l'on conçoit bien s'énonce clairement et les mots pour le dire arrivent aisément ». Chacun de nous peut aussi constater que l'expression est souvent le test de la compréhension. Je crois avoir bien compris quelque chose, mais, au moment de l'exprimer, de le communiquer, je me rends compte que j'en suis incapable ou que plusieurs liens me manquent pour saisir adéquatement la réalité dont je parle. L'expression est l'étape finale du processus de compréhension et elle peut prendre plusieurs formes, dont l'exposé oral ou écrit. Elle peut aussi être artistique : l'artiste qui cherche à s'exprimer sur une toile ou dans une sculpture vit souvent, simultanément à l'expérience de produire, un processus heuristique, dont l'œuvre représente la quatrième étape. Cette expression n'a pas la précision du concept, mais elle a l'avantage de respecter toute la richesse expérientielle de l'artiste, richesse que le concept trahit toujours plus ou moins. L'expression peut aussi prendre la forme d'une action : telle action d'un financier traduira très bien ce qu'il a compris de l'évolution économique de son pays, même si cette expression n'a pas la précision conceptuelle de l'analyse faite par un économiste qui interprète ce geste. Quelle qu'en soit la modalité, l'expression représente donc l'aboutissement normal du processus de compréhension. Elle constitue, à l'intérieur d'un processus circulaire, un test de réalité qui peut activer de nouveau toutes les étapes antérieures du processus. L'expression observable qui révèle l'expérience d'une personne face à un stimulus initial devient, par exemple, un nouveau stimulus heuristique, début d'un autre cycle dans la recherche de cohérence.

En résumé

Il est possible de représenter les quatre étapes du processus heuristique qui viennent d'être décrites dans un schéma qui montre comment l'énergie biologique se transforme progressivement à travers ces quatre étapes. La figure 9 résume cette première partie du chapitre.

La relation heuristique

Il y a plusieurs façons de satisfaire son besoin de cohérence. La relation interpersonnelle en est une. De ce point de vue, la remarque déjà faite au chapitre précédent concernant le caractère relatif de la relation interpersonnelle pour répondre au besoin de compétence s'applique à la relation heuristique. Celle-ci est un moyen parmi d'autres de satisfaire ce besoin. Dans les types de relations décrites dans les chapitres précédents, le centre d'intérêt de A était toujours à l'extérieur de lui-même : la cible, dans les relations fonctionnelle

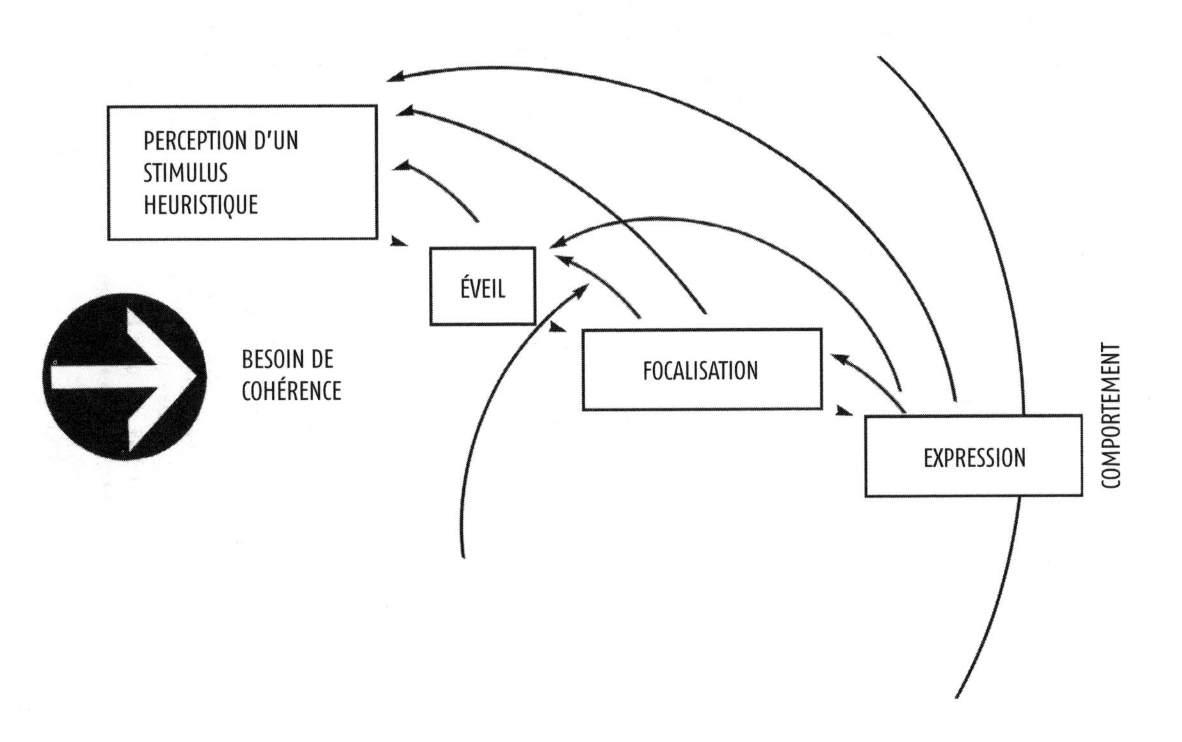

FIG. 9
Le processus heuristique

et coopérative, la personne de B, dans la relation chaleureuse. Dans la relation heuristique, le centre d'intérêt se situe à l'intérieur du champ perceptuel de la personne qui établit cette relation. La schématisation de la relation heuristique, dans la figure 10, montre bien que l'accent est mis sur ce qui se passe dans la subjectivité des deux interlocuteurs. La relation peut s'établir lorsque deux personnes se centrent sur une cible extérieure, par exemple un sujet de discussion ou le contenu d'une activité pédagogique, mais l'attention est mobilisée par le processus heuristique lui-même. C'est pourquoi les traits qui vont vers la cible ne dépassent pas les limites du champ perceptuel dans la figure 10.

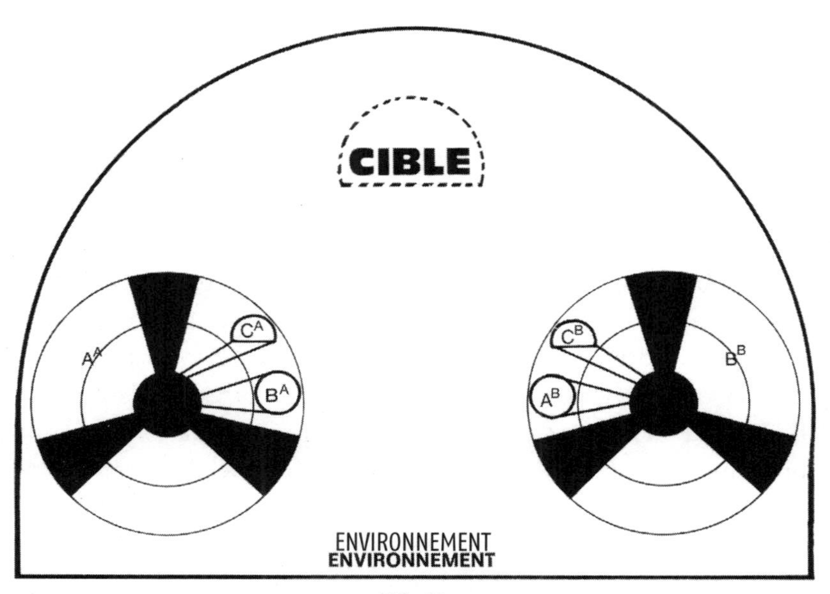

FIG. 10
La relation heuristique

Dans la relation heuristique, B est perçu par A comme un allié qui facilite chez lui un processus de compréhension. Cet allié peut remplir plusieurs fonctions : il peut être source de stimuli heuristiques, contribuer à maintenir l'éveil chez A, faciliter l'étape de la focalisation et être l'interlocuteur qui permet à A de s'exprimer librement. Il remplit ces fonctions dans le cadre de deux rôles spécifiques, présentés ci-après. Si les deux personnes A et B vivent simultanément une relation heuristique, elles peuvent exercer tour à tour ces fonctions l'une par rapport à l'autre. Pour alléger la description, cependant, nous décrirons ces deux rôles en supposant que la relation est à sens unique et que toute l'attention des deux interlocuteurs est concentrée sur le processus heuristique de l'un des deux, A en l'occurrence. Deux commentaires suivront, sur la discussion comme type de relation heuristique et sur la solitude en tant que conséquence de l'expérience heuristique.

Le rôle d'expert

La description, au chapitre précédent, de la relation coopérative a permis d'introduire la notion de rôle. Dans la relation coopérative, une des conditions est la perception réciproque des compétences de A et de B au regard d'une cible. Dans le cas de la relation heuristique, B peut être perçu comme ayant la compétence d'un expert qui dispose d'informations utiles à A, lorsque celui-ci cherche à comprendre quelque chose. C'est ainsi que A peut entrer en relation avec B. Mais ce dernier ne peut transmettre ses informations selon le principe des vases communicants, en vertu duquel A pourrait simplement mémoriser les informations qu'il reçoit pour satisfaire son besoin de cohérence. En effet, étant donné les modalités mêmes du processus décrit plus haut, l'expert contribue à la compréhension pour autant que les informations qu'il transmet sont reçues à la façon de stimuli heuristiques. Jamais ces informations ne peuvent dispenser A du cheminement laborieux de l'éveil et de la focalisation. Dans la mesure où l'expert est conscient de ce phénomène, il apportera ces informations selon un rythme que seul A peut déterminer. Si l'expert ne respecte pas ce rythme (au besoin, il peut aider son interlocuteur à le déterminer), les informations inhibent le processus heuristique au lieu de le favoriser. Les stimulations heuristiques, au lieu d'entraîner un éveil du besoin de cohérence, ont alors un effet de découragement et le besoin est inhibé temporairement. Si l'expert n'est pas attentif au processus de compréhension de celui qui met à profit son expertise, la relation ne répondra pas au besoin de cohérence. C'est ce phénomène qu'on évoque lorsqu'on dit d'un professeur qu'il connaît bien sa matière, mais qu'il est un mauvais pédagogue.

Le fait de définir l'expert comme une source de stimuli heuristiques a beaucoup de conséquences, dans un contexte d'éducation, par exemple. Selon que les conditions favorables sont réunies ou non, l'environnement pédagogique peut faciliter ou inhiber l'expérience de comprendre chez l'étudiant. C'est pourquoi de nombreux chercheurs dans le domaine de l'éducation essaient de réviser les façons traditionnelles de transmettre l'information scientifique. Pour qu'il y ait processus heuristique chez l'étudiant, il faut que celui-ci puisse prendre en charge le processus d'apprentissage et y intégrer, selon son rythme propre, les stimulations heuristiques que le professeur est chargé de lui communiquer. De là le néologisme de « s'éduquant » créé au Québec par un groupe de chercheurs dans les années soixante-dix (voir Angers, 1995) pour remplacer le terme « étudiant », qui risque de véhiculer une image de passivité dans un système traditionnel d'éducation. Le « s'éduquant » est celui qui vit une relation heuristique avec des personnes dont la tâche consiste à lui fournir les stimuli heuristiques adéquats tout en facilitant le processus heuristique. La pédagogie contemporaine met au premier plan cette relation heuristique. C'est ce qui a inspiré, par exemple, l'approche par problème ou par compétence (voir Des Marchais, 1996 ; Le Boterf, 1999). Le rôle même du professeur est redéfini dans ce contexte : il n'est plus seulement l'expert qui sait des choses ; on exige aussi qu'il soit un expert sur le plan du processus. Ce deuxième rôle est celui de facilitateur, qui est la deuxième façon pour B de contribuer à la recherche de cohérence de A dans une relation heuristique.

Le rôle de facilitateur

L'expert est celui dont la compétence découle des connaissances ou des informations qu'il possède ; à ce titre, on l'a vu, il est une source privilégiée de stimuli heuristiques. Le facilitateur est un type particulier d'expert : c'est celui qui intervient non pas en fournissant des stimuli heuristiques, mais en contribuant aux étapes qui suivent dans le processus de compréhension. C'est celui qui facilitera chez A, par ses attitudes, l'éveil, la focalisation et l'expression.

À la deuxième étape du processus heuristique, B peut activer l'éveil de son interlocuteur par une présentation attrayante et significative de l'information pertinente à la recherche de A. Il peut susciter la curiosité de A, cette curiosité étant une des manifestations du besoin de cohérence. Même s'il n'est pas celui qui possède personnellement de l'information dont A a besoin, il peut encore, par ses attitudes, aider celui-ci à clarifier ses motivations, puis à se procurer cette information.

Sur le plan de la focalisation, et grâce aux attitudes d'authenticité, de considération positive inconditionnelle et de compréhension empathique, qui ont été définies au chapitre IV, B peut activer le processus de symbolisation. Il peut, par exemple, aider son interlocuteur à être réceptif à ce qui se passe en lui, à valoriser le sens corporel décrit plus haut et à suivre les mouvements de son champ perceptuel. Si le processus de symbolisation s'accompagne de malaises ou d'anxiété, il peut, par sa seule présence, apporter à son interlocuteur la sécurité dont il a besoin pour y faire face.

En ce qui concerne l'expression, le facilitateur peut réagir au comportement de A, lui signaler, le cas échéant, les lacunes ou les ambiguïtés de son discours, ou, à l'inverse, lui manifester le plaisir qu'il éprouve face à une expression adéquate et cohérente. Le simple fait de jouer le rôle de récepteur facilite aussi l'étape de l'expression : A peut alors risquer une verbalisation de ce qu'il vit, même s'il en est encore à un niveau très insatisfaisant de symbolisation.

De nombreuses études ont été faites, en psychologie appliquée, sur les conditions favorables à une relation d'aide ; elles peuvent servir à mieux comprendre le rôle de facilitateur décrit ici. Nous en avons fait une synthèse dans un autre ouvrage (St-Arnaud, 2001).

La discussion

L'explication des rôles d'expert et de facilitateur se rapporte le plus souvent à des situations où B a une compétence professionnelle particulière : professeur, conseiller, spécialiste, etc. Il ne faut pas, cependant, réduire à ces exemples la relation heuristique. Celle-ci peut s'établir dans la vie quotidienne entre deux personnes qui ne jouent aucun rôle professionnel l'une par rapport à l'autre. Dans la plupart des discussions qui n'ont pas de cible précise, et qui s'engagent au hasard des rencontres, on peut retrouver les éléments de la relation heuristique. L'étude des relations heuristiques de la vie quotidienne permet même de relativiser les attitudes spécifiques de la relation d'aide. Dans la discussion, par exemple, il n'est pas toujours opportun d'adopter systématiquement une attitude de compréhension empathique à l'égard d'un interlocuteur. Souvent, lorsque A se lance dans une discussion avec un ami ou un collègue, son premier souci n'est pas de saisir le champ perceptuel de l'autre. Il peut même choisir de réagir à son interlocuteur sans même prendre le temps de vérifier s'il a compris adéquatement la pensée de celui-ci. L'opinion de l'autre, bien perçue ou non, lui sert de catalyseur et lui permet de clarifier sa propre pensée. Il peut même, dans certains cas, se faire « l'avocat du diable » et contredire systématiquement la pensée de son interlocuteur, même si, en d'autres circonstances, il se rallierait spontanément à l'opinion qu'il conteste. Une discussion ne peut être évaluée uniquement à partir des critères d'une relation empathique et chaleureuse. Très souvent, les personnes impliquées dans une discussion, voire dans une engueulade, peuvent progresser dans leurs processus heuristiques précisément parce qu'ils restent centrés sur leurs champs perceptuels respectifs. Les règles du jeu sont alors établies de telle sorte que l'on ne compte pas sur une compréhension empathique de son interlocuteur. Établir l'empathie maximale comme norme d'une bonne relation interpersonnelle serait non seulement abusif, mais risquerait de discréditer des formes de relation interpersonnelle très fécondes sur le plan heuristique. La relation heuristique, pour sa part, s'accommode très bien d'une empathie minimale, et beaucoup de prises de bec ont conduit des interlocuteurs à une symbolisation et à une expression plus adéquates de leur expérience. Qui ne se rappelle pas une discussion stimulante à la suite de laquelle il aurait été bien en peine de reformuler correctement la pensée de son interlocuteur, mais qui l'a amené à préciser son opinion, à mettre de l'ordre dans ses idées ? Si les règles du jeu sont claires et si les interlocuteurs se respectent, une bonne discussion à empathie minimale peut répondre à leur besoin de cohérence. Cela suppose que les deux interlocuteurs soient libres de processus défensifs qui pourraient paralyser la démarche heuristique. Par exemple, le besoin d'avoir raison pourrait empêcher une personne de voir les lacunes ou les contradictions de son discours.

La solitude

Cet exemple concernant la discussion non empathique fournit l'occasion d'introduire une dernière caractéristique de la relation heuristique : le sentiment de solitude qui en découle très souvent. Que ce soit dans une relation professionnelle où un expert facilitateur m'assiste dans ma recherche de cohérence ou que ce soit dans une discussion où j'essaie de faire valoir mon point de vue, le résultat est fréquemment un sentiment plus grand de solitude. Le schéma de la figure 10 permet de bien saisir ce qui entraîne cette conséquence. Comme l'objet du processus heuristique ne dépasse pas les frontières du champ perceptuel, chacun des interlocuteurs se retrouve avec lui-même. Il devient sans doute plus conscient de son caractère unique, mais aussi de tout ce qui le sépare des autres et de son environnement. La solitude est alors le prix de l'individualité et de la prise en charge de soi-même. Elle passera parfois inaperçue, si la relation heuristique n'est qu'un moment de la relation chaleureuse où A et B redeviennent l'un pour l'autre des cibles affectives, mais si la relation heuristique se termine brusquement, chacun éprouve le plus souvent cette sensation de solitude.

CHAPITRE IX

LE CHANGEMENT

Dans les chapitres précédents, le champ perceptuel a été défini comme un ensemble de processus conscients de transformation de l'énergie biologique. L'énergie se manifeste, en particulier, à travers les besoins fondamentaux et se transforme en expériences personnelles et interpersonnelles : expérience de la santé et du bien-être physique ; expérience d'aimer et d'être aimé ; expérience de produire et de coopérer ; expérience de comprendre et d'acquérir des connaissances. Toutes ces expériences sont possibles dans la mesure où des conditions favorables guident l'interaction de la personne avec son environnement.

Il ne faudrait pas penser, cependant, que l'individu s'actualise selon un processus où toutes ses expériences s'enchaînent harmonieusement l'une à l'autre. La personne se développe plutôt par essais et erreurs : elle s'adapte aux différentes circonstances, acquiert des structures provisoires qu'elle abandonne ensuite pour en acquérir de nouvelles, et ainsi de suite. Dans son ouvrage sur les modèles d'intervention en psychologie, Cottone (1992) affirme même que le changement est la donnée de base, l'individu et la personnalité n'étant qu'un état provisoire d'un processus de changement continu.

L'actualisation de soi peut donc être considérée comme un phénomène de changement. Ce chapitre aborde le processus de croissance de la personne sous cet aspect du changement. Une première partie rappelle et précise les différentes structures qui permettent à une personne de s'actualiser. Une seconde partie présente le changement comme une transformation continuelle de ces structures.

La structuration

La personnalité d'un individu peut être envisagée comme la résultante de l'ensemble des structures qui se développent à l'intérieur du champ perceptuel sous l'action combinée de l'énergie biologique et des stimuli de l'environnement. L'ensemble des structures donne à une personne son tempérament, son caractère et ses particularités. On peut comparer une structure à une turbine qui transforme en énergie électrique la force naturelle de l'eau en mouvement. On peut penser aussi au pipeline qui dirige le pétrole brut vers les raffineries qui vont le transformer en combustible. L'énergie biologique est à l'image des forces vives de la nature ; elle est d'ailleurs le résultat d'une transformation d'énergie première, puisée à même l'environnement physique ; dans les aliments, par exemple. Elle agit dans la personne à la façon d'une énergie globale qui donne vie à l'organisme. Une partie de cette énergie est utilisée par l'organisme pour se structurer lui-même. La personne ainsi structurée peut ensuite canaliser son énergie et en tirer le maximum de rendement.

La notion de structure n'est pas toujours associée à la croissance d'une personne. Certains usages laissent entendre que la structure constituerait un obstacle à l'actualisation : on parle, par exemple, de personnes tellement structurées que toute nouvelle expérience leur est impossible ; on parle également de personnes structurées de telle sorte que leur comportement est entièrement déterminé et parfaitement prédictible. C'est le cas du comportement névrotique, qui est une réponse stéréotypée à une situation donnée. Il ne faudrait pas confondre, cependant, structure et utilisation défensive de cette structure. Chez la personne engagée dans un processus de croissance, les différentes structures demeurent malléables et sont en constante évolution. Elles n'en sont toutefois pas moins indispensables pour que l'énergie biologique soit transformée efficacement en comportements qui favorisent le développement de la personne. Inversement, l'absence de structures constitue aussi un empêchement majeur à l'actualisation : elle conduit aux désorganisations psychotiques de toutes sortes. On peut donc conclure que les structures qui se forment à l'intérieur de la personne sont des éléments indispensables à l'actualisation de soi.

On a déjà vu (dans le premier chapitre) que la conscience qu'un individu a de lui-même, l'ensemble des perceptions qu'il a de lui, se structure progressivement dans une image de soi, représentée par le cercle intermédiaire de la figure I. Grâce à cette structure, toutes les expériences vécues par une personne peuvent être reliées l'une à l'autre et permettre l'acquisition progressive d'une identité personnelle. Sans cette structure de base, la personne n'existerait pas, l'individu serait incapable de dire « je » de façon significative. Le bébé naissant est d'ailleurs incapable de dire « je », non pas parce qu'il n'a pas acquis le langage, mais tout simplement parce qu'il ne sait pas encore qu'il existe comme un individu séparé de son environnement ; il doit l'apprendre.

On peut mentionner aussi les réflexes de l'organisme et les habitudes de toutes sortes, autant de structures qui canalisent l'énergie biologique sans que le champ de la conscience soit toujours mobilisé par les gestes de la vie quotidienne. Les habitudes acquises permettent en fait une économie de l'énergie ; libérée grâce à ces structures, cette énergie est canalisée vers des tâches plus importantes. La personne peut alors faire face à des situations inédites, s'engager dans de nouvelles tâches et satisfaire de nouveaux besoins qui émergent dans le champ perceptuel.

L'équilibre particulier qui se crée entre les besoins fondamentaux, les besoins structurants et les besoins situationnels contribue, dans un autre domaine, à structurer la personne. Cette structure permet, elle aussi, une meilleure utilisation de l'énergie biologique, comme on l'a vu au chapitre III.

Les attitudes sont encore des exemples de structures du champ perceptuel. Elles prédisposent la personne à une action sur l'environnement selon des schèmes d'action qu'elle a déjà elle-même expérimentés ou que d'autres lui ont transmis par le biais de la culture ; ces structures représentent autant de moyens efficaces de disposer de son énergie biologique. Par exemple, l'attitude d'accueil peut être une structure du champ perceptuel qui mobilise rapidement l'énergie biologique en vue de l'établissement d'une relation satisfaisante avec les personnes que l'on rencontre.

Les connaissances, qui constituent le patrimoine scientifique accumulé depuis que l'homme existe, peuvent aussi augmenter les chances d'actualisation d'une personne en facilitant chez elle l'acquisition de structures cognitives. Celles-ci servent à mobiliser l'énergie biologique pour une représentation adéquate de soi-même et de son environnement. Les théories de toutes sortes, les conceptions de l'univers, de la personne, de la société sont autant de structures cognitives qui aident une personne à se situer dans son univers et à agir efficacement sur son environnement.

Le vocabulaire et les théories psychologiques pour rendre compte de ces structures ne cessent de s'enrichir. On en trouvera des synthèses dans deux ouvrages : l'ouvrage sous la direction de Vallerand (1994) s'intéresse aux fondements de la psychologie sociale et fait l'inventaire des théories concernant les rapports entre une personne et son environnement social ; l'ouvrage de Morin et Bouchard (1992) présente les principales théories de la personnalité.

Quel que soit l'angle sous lequel on aborde la personne humaine, on y retrouve toujours des structures particulières qui sont, en définitive, la synthèse des éléments fournis par l'hérédité de chaque personne et par son environnement : structures inconscientes, structure du soi, structure motivationnelle, structures d'action (attitudes et valeurs), structures cognitives, etc. Ces structures sont le résultat de l'apprentissage, un des thèmes majeurs de la psychologie moderne (voir Doré et Mercier, 1992).

Dans le développement de la personne, s'il est vrai que le comportement est fonction des perceptions que l'on a de soi et de l'environnement à un instant donné, il n'en demeure pas moins que toutes ces perceptions sont fortement influencées par l'histoire de la personne, une histoire au cours de laquelle s'opère une synthèse entre ses prédispositions héréditaires, les apprentissages faits depuis sa naissance et ses choix personnels. Cette synthèse est loin de se réaliser de façon linéaire, cependant, et pour comprendre davantage le développement de la personne, il faut le considérer sous l'angle du changement.

Le changement

Les grandes théories qui ont marqué les débuts de la psychologie scientifique, au XXe siècle, ont souligné les transformations requises pour qu'une personne se développe. À titre d'exemple, citons Freud (1916) qui distinguait les stades oral, anal et phallique pour caractériser l'évolution des structures motivationnelles inconscientes; Piaget (1936) qui a défini avec une grande minutie les différents stades de l'évolution des structures mentales: stade sensori-moteur, stade opératoire concret et stade opératoire formel; Erikson (1959) qui a décrit les grandes étapes de la vie. Toutes les théories de l'apprentissage parlent aussi du changement continuel (voir Doré et Mercier, 1992). Le schéma utilisé ici pour comprendre le phénomène du changement personnel est une extension du modèle classique que Lewin (1959) a élaboré pour expliquer un changement particulier, celui des attitudes. Ce modèle définit trois phases du changement: le dégel, le mouvement et le regel. En plus de sa simplicité, il a l'avantage de s'appliquer à toute forme de changement dans l'évolution d'une personne, à partir de la structure la plus élémentaire jusqu'à la structure du soi qui donne à chacun son identité.

Le dégel

La première phase du changement débute lorsqu'une structure antérieure, déjà acquise, se révèle insuffisante pour rendre compte des perceptions que l'on a de la réalité. Prenons quelques exemples pour illustrer comment se produit le dégel.

Le premier exemple sera celui d'un dégel touchant une structure cognitive. Pensons à l'enfant qui est à l'âge du « pourquoi »: il questionne à propos de tout et cherche implicitement à développer en lui des structures cognitives (premières manifestations de son besoin de cohérence). Il va se satisfaire d'une explication sommaire, qui n'en est pas une le plus souvent, mais qui lui permet de donner un sens à son expérience. Cette chanson enfantine l'illustre de façon humoristique: « Maman les petits bateaux qui vont sur l'eau ont-ils des jambes? Mais oui mon petit garçon, s'ils n'en avaient pas ils n'avanceraient pas. » L'enfant peut symboliser son expérience du bateau qui flotte en imaginant qu'il a de grandes jambes. Il ne tardera pas, cependant, à rejeter cette explication sommaire : à mesure que son expérience de la nature se précise, il ne peut plus maintenir une structure cognitive aussi simpliste. Pour autant qu'il est ouvert à son expérience, la structure cognitive éclate. De la même façon que le vêtement qu'il portait l'année précédente ne peut plus l'habiller, l'explication antérieure est périmée et un dégel se produit.

L'exemple choisi est simpliste, mais il permet de saisir que le dégel peut se faire parfois de façon quasi imperceptible lorsque la structure antérieure est relativement récente et sans grande importance. Tel n'est pas toujours le cas, cependant. Pensons au dégel qui a suivi la remise en question, par Copernic et Galilée, des théories astronomiques de leur temps, alors qu'ils soutenaient que la Terre n'était pas le centre de l'univers, selon la croyance établie, mais tournait autour du Soleil. Le dégel a été lent à se produire. L'anxiété liée à cette nouvelle conception était telle qu'on a rejeté comme aberrante, et même contraire à la parole de Dieu inscrite dans la Bible, une théorie aussi révolutionnaire. On a même incarcéré le promoteur d'une théorie aussi « folle ». C'est là un exemple classique de résistance au changement : plusieurs facteurs, l'insécurité en particulier, retardent le dégel, en l'occurrence l'abandon d'une structure cognitive antérieure. Mais comme le besoin de cohérence est toujours à l'œuvre, le temps joue en faveur de perceptions plus adéquates : la vérité progressera et le dégel se produira un jour.

D'autres formes de dégel peuvent apparaître lorsque les événements empêchent la satisfaction d'un besoin structurant. Cette fois, c'est la structure motivationnelle qui subit un dégel. Telle personne satisfait son besoin de compétence à travers un besoin structurant d'enseigner, acquis au cours de dix années d'enseignement, lorsqu'elle doit interrompre subitement cet enseignement pour des raisons extérieures à elle-même. Telle autre personne se voit frustrée dans un besoin structurant de vie à deux par la mort prématurée du conjoint. La structure acquise peut résister à ces obstacles et conduire la personne à chercher d'autres modalités de satisfaction, mais, souvent, les événements provoquent une expérience de dégel qui est d'autant plus troublante que la structure ébranlée était satisfaisante et bien établie : ce type de dégel est bien documenté par des auteurs qui ont étudié l'expérience du deuil (Kübler-Ross, 1984 ; Monbourquette, 1994).

Les recherches sur le changement d'attitude abondent en exemples de dégels. En fait, le thème du changement constitue une préoccupation majeure de plusieurs chercheurs contemporains, car les dégels se produisent aujourd'hui dans presque tous les domaines à un rythme qui bouleverse des milliers de personnes. Autrefois, le changement se produisait à la façon d'une vague lente et douce qui laissait à chacun le temps de s'apprivoiser à la nouveauté. Aujourd'hui, il se produit plutôt à la façon d'un raz-de-marée qui risque de balayer toutes les structures établies à l'intérieur de la personne. C'est le cas, en particulier, dans le domaine des valeurs. Les techniques de diffusion sont de nos jours tellement perfectionnées que, par la télévision, les journaux, la radio ou l'Internet, chacun se trouve en présence de valeurs de plus en plus variées et souvent contradictoires. Dans la plupart des domaines de la vie contemporaine, l'uniformité de jadis est disparue au profit de la diversité. S'actualiser dans le monde d'aujourd'hui, c'est donc subir des dégels constants, c'est apprendre à vivre en état de changement. Tessier et Tellier (1990 à 1992) ont publié une collection de huit tomes qui traitent de tous les aspects du changement.

Le mouvement

Lorsqu'un dégel se produit, il entraîne une période de mouvement qui est une phase de transition. Elle se caractérise par un malaise, un sentiment de dépaysement plus ou moins grand, parfois par un sentiment de recul et par de l'anxiété. Ces sentiments naissent du fait que l'énergie biologique est momentanément hors contrôle et que la personne a perdu une partie des structures qui lui permettaient de faire face aux influences multiples de son environnement sans être envahie par lui.

Ce mouvement est typique, par exemple, de la période d'adolescence, où l'énergie biologique bouillonne avec tellement de force dans le champ perceptuel de l'adolescent que la structure fondamentale du soi est ébranlée. L'adolescent qui vit une crise d'identité ne se perçoit plus tout à fait comme un enfant, mais pas encore comme un adulte. Le mouvement qui se produit à l'intérieur de lui se manifeste par les nombreuses contradictions de son comportement. Un phénomène semblable se produit chez les personnes qui vivent un dégel de leur image d'eux-mêmes au cours d'une crise de la vie adulte (voir De Grâce et Joshi, 1986 ; Sheely, 1987).

De tels mouvements peuvent être vécus à la suite du dégel de toute structure du champ perceptuel. L'enfant qui doit abandonner son explication du « bateau qui marche avec des jambes » connaîtra une phase de mouvement plus ou moins longue et plus ou moins laborieuse avant de découvrir le principe d'Archimède qui répondra à son besoin d'expliquer la flottabilité d'un corps plus pesant que l'eau. Dans le domaine des valeurs, c'est encore un mouvement semblable que traduisent des expressions comme « je ne sais plus que penser », « je ne sais plus ce qui est bien et ce qui est mal », etc.

De façon générale, on peut illustrer le changement en utilisant le schéma de la personne. La partie A de la figure 11 représente la personne structurée : le cercle qui apparaît dans le champ perceptuel symbolise la structure du soi et le carré, une structure quelconque du champ perceptuel : structure cognitive, motivationnelle, attitudinale, etc. Le schéma de gauche de la partie B illustre le dégel et le mouvement qui s'ensuit : les lignes éparses et la ligne ondulée du soi indiquent qu'un dégel s'est produit, entraînant une dispersion à l'intérieur du champ perceptuel. Même si ces éléments demeurent présents à l'intérieur du champ perceptuel, l'organisation, la gestalt, est rompue. C'est un peu comme si ces éléments étaient soumis à un ensemble de forces nouvelles, à la façon d'un champ magnétique dont les pôles se seraient déplacés. Enfin, le schéma de droite représente la restructuration ou le regel, qui est la dernière phase du changement.

Personne structurée

FIG. 11A
Le changement

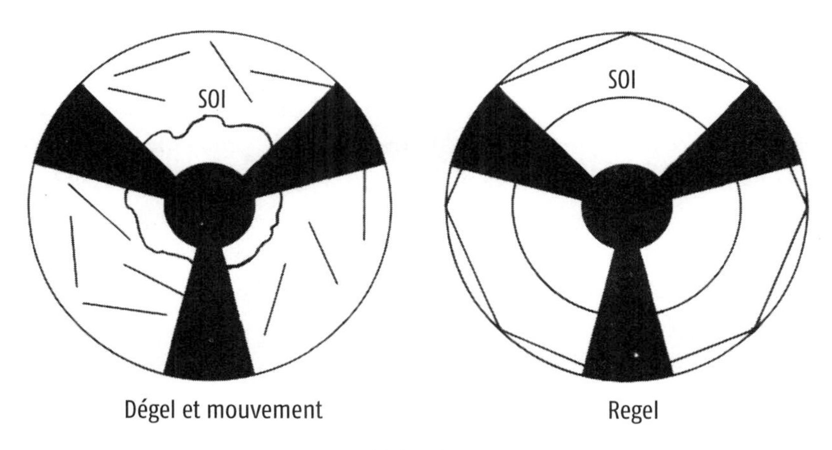

FIG. 11B
Le changement

Le regel

On peut voir dans le phénomène de regel une autre manifestation de la tendance à l'actualisation. Dans la mesure où sont réunies les conditions favorisant le processus de croissance, le mouvement se fait de telle sorte que les nouvelles données expérientielles se réorganisent progressivement dans une structure plus complexe : les éléments de la structure antérieure peuvent s'y retrouver, mais dans une organisation plus satisfaisante. C'est ce que symbolisent, dans le schéma de droite de la figure 11, le cercle agrandi de l'image de soi et l'octogone qui a remplacé le carré.

L'adolescent qui vit le mouvement décrit plus haut réussit, par exemple, à stabiliser son image de lui : il en résulte une nouvelle identité qui intègre ses expériences antérieures et ses nouvelles perceptions de lui.

Cette illustration du processus de changement s'applique au domaine scientifique: on y reconnaît qu'une théorie nouvelle est valable dans la mesure où elle réussit à intégrer les expériences et les perceptions antérieures. Dans le domaine de la physique, par exemple, la théorie de la relativité d'Einstein a entraîné un rejet des structures cognitives antérieures et un regel qui a donné lieu à une théorie plus complète. De même, après Galilée, l'astronomie retenait une représentation de l'univers qui rendait compte d'un plus grand nombre d'observations.

Pour que le regel s'accomplisse de façon harmonieuse – et aussi pour que le dégel ne provoque pas l'effondrement de la personne –, il faut un certain nombre de conditions. Ces conditions, qui appartiennent à l'environnement, sont celles que nous avons vues au chapitre IV et dans les chapitres qui traitent des relations interpersonnelles. À l'intérieur de la personne, il existe des structures fondamentales permanentes qui assurent la stabilité et la continuité du développement à travers les changements. En ce sens, le changement a des limites et, s'il est vrai que s'actualiser, c'est vivre en état de changement, cela n'est vrai qu'en partie, c'est-à-dire dans la mesure où le changement peut se faire autour d'un axe de développement permanent. D'ailleurs, celui qui reconnaît en lui un changement perçoit un même «je» qui peut parler au passé, au présent et au futur: j'étais, je pensais, j'agissais de telle façon; maintenant, je suis, je pense, je crois telle ou telle chose; demain, je prévois que je serai tel ou tel. Le «je» fait le lien entre ces énoncés. Même lorsqu'on parle d'une crise d'identité ou d'une transformation de l'identité, il y a, chez la personne qui vit un tel phénomène, la perception d'une continuité: une structure permanente assure le regel. C'est justement pour tenir compte de cette continuité que, dans le schéma de la figure 11 illustrant le dégel et le mouvement, le cercle intermédiaire du soi n'est pas rompu, mais représenté par une ligne ondulée.

La présence de telles structures fondamentales à l'intérieur de la personne se traduit, dans le champ perceptuel, par quelques certitudes existentielles de base: «je vis», «j'ai le droit d'exister», «je bouge», etc. La perception de ses propres besoins fondamentaux fait partie de ces certitudes: «J'aime et je suis aimé, je produis, ma vie et l'univers ont un sens.» On peut penser, en effet, que plus une personne accumule de satisfactions en ce qui concerne ses besoins fondamentaux, plus elle acquiert la sécurité existentielle qui lui permet de rester ouverte à son expérience, de se prendre en charge et d'agir sur son environnement: elle vit alors de façon relativement sereine les dégels, les mouvements et les regels qui marquent son développement. La continuité perçue est la principale garantie d'un changement harmonieux. Dans ce contexte, l'analyse des erreurs antérieures, ou la critique du passé, contribue à l'actualisation. Le processus de croissance évolue par essais et erreurs.

En résumé

Dans la mesure où des structures de base sont acquises, dans la mesure aussi où la personne est engagée dans un processus de croissance, pouvant rester ouverte à son expérience, se prendre en charge et agir sur son environnement, l'actualisation se réalise à travers un processus par essais et erreurs qui entraîne des structurations du champ perceptuel, des dégels, des mouvements et des regels (restructurations). Cette personne intègre ainsi l'ensemble des expériences qu'elle vit dans ses rapports avec l'environnement. Du même coup, la personne apprend à vivre en état de changement et à faire face avec une sérénité croissante à tous les changements à venir. Plus cet apprentissage se poursuit, plus on voit apparaître, chez la personne qui s'actualise, une attitude que l'on pourrait appeler le «sens du relatif». Contrairement à la personne qui est paralysée par des processus défensifs et qui s'attache, par insécurité, aux structures acquises, la personne qui s'actualise renonce à tous les pseudo-absolus. L'absolu n'est plus défini dans la perspective de l'être, mais bien dans la perspective du devenir. Le sens du relatif permet alors d'accueillir sans panique toute expérience nouvelle, toute annonce de changement et toute remise en question. La confiance en soi et en sa capacité de changer devient le signe évident que le processus d'actualisation est en cours.

CHAPITRE X

L'APPROCHE CENTRÉE SUR LA PERSONNE

Le cadre de la psychologie perceptuelle a servi, dans les chapitres précédents, à l'étude de la personne et des relations interpersonnelles. C'est sous l'angle de la discipline scientifique que cette psychologie perceptuelle a été présentée, mais cette approche psychologique est davantage connue pour ses applications pratiques dans le domaine professionnel. Elle a pris naissance dans le champ de la psychothérapie, il y a plus d'un demi-siècle, dans la foulée des travaux de Rogers (1942); elle a influencé par la suite les recherches en éducation, sur la vie de couple, sur la vie en groupe et sur les rapports internationaux (voir Rogers et Kinget, 1973; Rogers, 1979). Ce chapitre, dans le prolongement des postulats et des principes énoncés dans les neuf chapitres précédents, présente cette approche pratique et en dégage quelques applications concrètes. Un bref commentaire sur le terme « non-directivité » servira de point de départ; c'est la première étiquette qui a fait connaître cette approche avant que Rogers lui-même en voie les inconvénients et l'abandonne pour l'expression « centrée sur la personne ». Quelques ambiguïtés courantes seront ensuite dissipées. Enfin, l'approche centrée sur la personne sera resituée dans le contexte de la théorie présentée au fil de cet ouvrage.

L'origine de la notion de non-directivité

Le terme non-directivité a été introduit par Rogers, dans les années quarante, pour rendre compte d'une découverte qu'il avait faite dans sa pratique professionnelle de psychothérapeute (Rogers, 1942). Cette découverte, on peut l'expliquer à l'aide des modèles utilisés dans les chapitres précédents. De façon intuitive, Rogers avait constaté que, dans la démarche thérapeutique, lorsque le thérapeute crée les conditions favorables au processus de croissance (voir le chapitre IV), l'énergie biologique de son client était mobilisée et agissait en lui de façon structurante. Il s'était également aperçu que, dans son rôle de thérapeute face au client, il favorisait ce processus de croissance dans la mesure où il n'essayait pas de structurer lui-même, de l'extérieur, le champ perceptuel de son interlocuteur. En se fondant sur cette intuition, il a entrepris la critique des attitudes et du comportement de thérapeute qu'on lui avait enseignés, en essayant d'éliminer tous les procédés qui auraient pour effet une structuration du champ perceptuel de son client. Il a délaissé les interprétations psychanalytiques de peur de s'immiscer dans le processus heuristique, tel que nous l'avons décrit au chapitre VIII. C'est ainsi que le terme non-directivité est apparu pour désigner une approche où le thérapeute se donnait pour tâche de favoriser le processus autonome de croissance de son client, à savoir l'ouverture à l'expérience, la prise en charge et, éventuellement, l'action sur l'environnement. Très tôt, la connotation négative de ce terme et les interprétations erronées auxquelles il donnait lieu incitèrent Rogers (1951) à l'abandonner. Il commença alors à parler de « psychothérapie centrée sur le client ». L'élargissement de ses théories à d'autres secteurs de l'activité humaine a conduit à l'expression qui est toujours actuelle : approche centrée sur la personne (Rogers, 1979).

Dans son étude sur la psychologie de Rogers et sur la non-directivité, Pagès (1965) a proposé d'employer les termes « interventions structurantes » et « interventions informantes » pour effectuer cette critique des attitudes du thérapeute et évaluer les effets de son comportement sur le processus thérapeutique. La non-directivité, de ce point de vue, consistait à privilégier les interventions informantes qui facilitent le processus heuristique. Elle consistait aussi à éliminer dans la mesure du possible les interventions structurantes pour éviter d'interférer avec l'autonomie du processus de structuration du client. Le rôle de facilitateur prend donc le dessus sur le rôle d'expert, selon les catégories définies au chapitre VIII.

C'est à la lumière des réactions à ses premiers écrits que Rogers (1945) a compris les limites de l'expression originale et a modifié son vocabulaire. Il avait constaté, en effet, que ce que l'on commençait à enseigner dans les écoles professionnelles des États-Unis sous l'étiquette de non-directivité ne correspondait en rien à ses intuitions de base. Malgré ses efforts pour mieux exprimer sa pensée, la popularité du terme non-directivité s'est accrue. Ce dernier s'est répandu à une vitesse vertigineuse dans les milieux professionnels les plus variés, semant beaucoup de confusion sur son passage (voir Peretti, 1974). Il est donc opportun, avant d'expliquer l'essentiel de l'approche centrée sur la personne, de dissiper les malentendus les plus courants.

Ce que n'est pas la non-directivité

Dans l'usage qui est fait aujourd'hui de l'approche qui se voulait non directive, on trouve un excellent exemple du processus de changement, tel qu'il a été décrit au chapitre IX. Il est probable que le principe de non-directivité doit sa popularité à son caractère révolutionnaire. Dans un monde où les influences de toutes sortes sont amplifiées par la technique – techniques de pression, techniques de vente, techniques de conditionnement –, l'idée de non-directivité a eu un effet paradoxal, provoquant chez les uns le dégel des attitudes professionnelles antérieures et chez d'autres une résistance au changement. On a parlé d'une nouvelle révolution copernicienne, touchant non pas l'astronomie ou la représentation de l'univers, mais bien la conception de l'homme perçu comme un être unique, un univers subjectif qui ne peut se réduire à quelque cadre de référence de type « objectif ». Quoi qu'il en soit du processus de changement déclenché par l'approche rogérienne et des dégels qu'elle a provoqués, le concept de non-directivité a entraîné des façons de faire qui ne correspondent en rien à l'idée originale de son promoteur. Voyons donc ce que n'est pas la non-directivité.

Premièrement, la non-directivité ne signifie pas « absence d'influence ». Plusieurs personnes ont défini la non-directivité en laissant entendre qu'elle consistait à ne pas influencer son interlocuteur. L'approche centrée sur la personne souligne, sans doute, que l'on a renoncé à imposer à une personne de se conformer aux normes de son milieu. Il serait cependant erroné de conclure à une absence d'influence. La réalité est plutôt à l'inverse de cette conclusion naïve : l'absence de normes objectives a pour effet de rendre l'influence de l'environnement beaucoup plus subtile, alors qu'elle demeure par ailleurs tout aussi contraignante. Dans une approche directive, une personne peut facilement identifier les normes qu'on tente de lui imposer et en faire la critique. Elle peut même, le cas échéant, faire la distinction entre le discours inspiré de ces normes et le comportement de celui qui tient ce discours. Elle peut conclure, dans certains cas : « Faites ce qu'il dit, mais non ce qu'il fait. » Dans une approche qui se veut non directive, il est vrai que les normes et les modèles de toutes sortes tendent à s'amenuiser, mais le danger est que l'intervenant « non directif » devienne lui-même une norme vivante face à laquelle il est beaucoup plus difficile de demeurer critique. On peut donc conclure que l'approche dite non directive modifie le type d'influence qui est exercé sur l'interlocuteur, mais qu'elle n'est en rien une absence d'influence. Au contraire, cette influence est accrue et elle peut avoir un effet opposé à la prise en charge plus grande qu'elle devrait produire chez celui qui en est l'objet.

Dans le contexte de la psychologie centrée sur la personne, on dira plutôt que l'influence qu'exercent ceux qui interviennent dans le développement d'une autre personne vise la conception de la personne. En même temps qu'il s'efforce d'éviter les interventions structurantes, concernant la façon, pour son interlocuteur, de disposer de lui-même, l'intervenant met tout en œuvre pour le persuader qu'il a la capacité de se prendre en charge. Il est rarement question de cette conception de manière verbale ; au lieu d'expliquer le modèle sur lequel il se fonde, celui qui adopte une approche centrée sur la personne concrétise plutôt, par ses attitudes de considération positive inconditionnelle et d'empathie (voir le chapitre IV), les postulats qui guident ses interventions. Il croit lui-même que son interlocuteur est animé par une tendance à l'actualisation, et là-dessus son influence est incontournable. En cas de conflit, le seul recours qu'a une personne qui veut se soustraire à ce type d'influence est de mettre un terme à la relation.

Une autre confusion fréquente autour de la non-directivité concerne l'objet des attitudes que l'on adopte à l'endroit d'une personne. Plusieurs se réclament de la non-directivité lorsqu'ils adoptent une approche qui s'apparente au « laisser-faire » total. Au nom de la non-directivité, par exemple, des parents vont s'interdire d'exprimer des exigences sur le plan du comportement, de peur de nuire au processus de croissance de l'enfant. On sait aujourd'hui que la surprotection d'un enfant entraîne une absence de caractère et compromet la possibilité qu'il a de se prendre en charge. Dans l'explication relative à l'objet précis de la considération positive inconditionnelle, soit le monde subjectif plutôt que le comportement de son interlocuteur (voir le chapitre IV), on a déjà dissipé une telle ambiguïté. Rappelons seulement que la non-directivité n'est pas une absence de contraintes et que le laisser-faire traduit le plus souvent un manque d'authenticité qui n'aide en rien le processus de croissance.

D'autres ambiguïtés relèvent de l'association que certains font entre « non-directivité » et « absence totale d'engagement personnel ». Les caricatures nombreuses de la psychologie rogérienne, où l'on voit le thérapeute se cacher derrière son rôle et ses techniques pour « renvoyer l'autre à lui-même », illustrent bien cette confusion. Les techniques non directives seules – la reformulation, le reflet, le silence systématique, le refus de répondre à toute question – entraînent le plus souvent une distance psychologique qui ne facilite en rien un processus de croissance. En l'absence des attitudes propres au processus de croissance, ces techniques n'ont pas l'effet souhaité sur la personne qui a besoin d'aide. Elles lui laissent entendre, le plus souvent, qu'elle est sans ressources et soulignent son impuissance et la dépendance dans laquelle elle se trouve. Les techniques deviennent un écran entre les deux interlocuteurs ; elles accentuent de façon disproportionnée le pouvoir de l'expert, qui ne semble jamais affecté par ce que vit son interlocuteur. Cette façon technique de pratiquer la non-directivité compromet à tout jamais la prise en charge de celui qui attend l'aide chaleureuse d'un facilitateur et qui reçoit plutôt la froideur d'un miroir lui reflétant une image désagréable de lui-même. Selon les termes employés pour décrire le processus heuristique au chapitre VIII, si les techniques non directives ne facilitent pas l'éveil, la focalisation et la libre expression de soi, elles vont à l'encontre du processus de croissance et d'actualisation.

Dans le domaine de la psychothérapie, toutes ces ambiguïtés semblent disparues. Les théories contemporaines précisent davantage le rôle du conseiller ou des personnes qui interviennent dans le développement d'une autre personne (voir Lietaer, Rombauts et Van Balen, 1990). On préfère d'ailleurs parler d'approche centrée sur l'autodéveloppement pour caractériser le type d'influence que l'on privilégie (St-Arnaud, 2001).

L'approche non structurante

Au-delà des ambiguïtés et de la confusion créées par la non-directivité, l'approche centrée sur la personne est le prolongement logique de la conception de la personne humaine et des relations interpersonnelles issue de la psychologie perceptuelle, qui forment ensemble un tout cohérent. Les postulats et les descriptions des chapitres précédents serviront maintenant à redéfinir cette approche, en la replaçant dans le contexte théorique qui lui donne sa véritable signification. Pour illustrer l'approche centrée sur la personne, nous reprenons le terme de Pagès parce qu'il nous semble plus précis : nous parlerons donc d'une approche non structurante. Un exemple concret permettra de préciser les choix qui s'imposent à celui qui aide une autre personne. L'approche non structurante apparaîtra comme un choix parmi d'autres.

Supposons qu'un adolescent de dix-neuf ans amoureux d'une jeune fille qu'il veut épouser me consulte un jour. Il se présente devant moi et me dit, en guise d'introduction : « Mon amie et moi, on s'aime et on veut se marier. Nos parents nous apportent toutes sortes d'objections. J'aimerais avoir votre avis. »

Lorsque j'entends une telle demande, j'ai déjà des choix à faire. Selon la perception que j'ai de mon interlocuteur, selon le contexte dans lequel a lieu la consultation (suivant que je suis un ami, un professeur, un compagnon de travail ou un psychologue consultant, par exemple) et selon ce que celle-ci éveille en moi, plusieurs choix me sont offerts. Les différents types de relations analysés dans les chapitres V à VIII peuvent déjà servir à distinguer quelques-uns de ces choix : vais-je choisir, par exemple, une relation fonctionnelle et répondre de façon encyclopédique à cette question sans m'engager personnellement, en me limitant, par exemple, à fournir des statistiques ? Vais-je réagir selon le modèle de la relation chaleureuse et exprimer les sentiments que j'éprouve envers mon interlocuteur dans cette situation, faisant de cette relation un échange sympathique ? Vais-je plutôt me préoccuper surtout de la cible – définie par la question : « Est-ce que je dois ou non me marier ? » – et m'engager dans une relation coopérative ? Ou vais-je plutôt privilégier une relation de type heuristique ? Il n'y a aucun critère objectif qui permette une réponse unique à ces questions. Le plus souvent d'ailleurs, les choix ne sont pas contradictoires, exception faite de la relation fonctionnelle, et on peut trouver dans le déroulement d'une relation d'aide des éléments des trois autres types de relation.

Admettons maintenant, pour les besoins de la cause, que j'opte pour une relation de type heuristique : je décide d'aider mon interlocuteur à symboliser correctement l'expérience à propos de laquelle il me consulte. Dès que je fais un tel choix, je dois encore me situer par rapport aux deux rôles décrits au chapitre VIII : vais-je adopter un rôle d'expert ou un rôle de facilitateur ? Là encore, la dichotomie n'est pas absolue, mais il est probable qu'au cours de la relation l'un des deux rôles va dominer. On parlera d'une approche non structurante uniquement si le rôle de facilitateur est prédominant.

Supposons d'abord que j'opte pour le rôle d'expert. Tout en étant accueillant, sympathique, j'examine tous les aspects de la question et je cherche à me faire une opinion, dans le but de répondre éventuellement à la demande qui m'est adressée. J'interroge mon interlocuteur, j'essaie d'évaluer, par exemple, l'intensité de son expérience, son tempérament, son caractère, ses motivations, etc. À mesure que j'accumule l'information, je me fais une opinion. Je suppose évidemment que cette opinion n'est pas préconçue et que je me concentre vraiment sur le cas particulier qui m'est présenté. Je peux ainsi arriver, compte tenu de mon expérience personnelle et professionnelle, à une conclusion assez ferme. Je crois sincèrement, par exemple, après une heure d'entrevue, que cet adolescent ferait un bon choix en se mariant ou, au contraire, que ce serait un mauvais choix et qu'il devrait retarder son mariage. Quelle que soit cette opinion, je la communique à mon interlocuteur, avec prudence, sans doute, et en ayant soin de ne pas lui imposer mon point de vue. Je peux aussi souligner qu'il s'agit là d'un avis parmi d'autres, etc. Il n'en reste pas moins que je réponds directement à la demande qui m'a été adressée. Dans cette façon de faire, je joue un rôle d'expert et, tout en reconnaissant une possibilité d'erreur de ma part, je me compromets en apportant une réponse à la demande qui m'est faite. J'adopte donc une approche structurante. Je considère implicitement qu'une bonne façon de s'actualiser pour mon interlocuteur est d'avoir recours à mon expertise, comme il le ferait en allant consulter un médecin ou un avocat dans d'autres circonstances. Me percevant, dans le contexte, comme suffisamment compétent pour donner un avis pertinent, je n'hésite pas à le faire. Je suis directif, c'est indéniable ; j'accepte d'influencer mon interlocuteur et de contribuer à structurer son champ perceptuel en l'orientant vers ce qui me paraît être la meilleure solution.

Supposons maintenant que j'opte plutôt pour un rôle de facilitateur face à cet adolescent, adoptant une approche centrée sur la personne. Plutôt que de chercher à répondre explicitement à sa demande, je me concentre sur l'ensemble de sa subjectivité et j'essaie de l'aider à voir clair en lui-même. Je porte d'abord attention à la perception (B^A) que j'ai de mon interlocuteur : puis-je considérer qu'il est en mesure de faire un choix valable ? Il se peut que, dès ce moment, ma réponse soit négative ; mieux vaudrait alors opter pour une approche structurante, soit celle qui a été décrite plus haut, soit celle qui consisterait à l'orienter vers une relation d'aide professionnelle. Mais considérons pour l'instant que ma réponse est affirmative. Compte tenu de ma perception de cet adolescent et des postulats qui me permettent de voir concrètement en lui une tendance à l'actualisation, tendance grâce à laquelle il peut disposer de son énergie biologique et se structurer lui-même, j'ai deux options : refuser le rôle d'expert en m'abstenant de lui donner l'avis qu'il demande ou jouer ce rôle en attirant son attention sur sa propre compétence pour répondre à la question qu'il se pose. Je commence à ce moment à l'influencer dans le sens de mes convictions et du modèle que j'utilise ; le fait même de ne pas répondre à sa demande a pour effet de le centrer sur sa propre subjectivité pour y trouver la réponse qu'il cherche. Il est possible qu'en essayant de saisir ce qu'il vit, selon les modalités de la compréhension empathique, je voie s'affermir ma conviction que la seule réponse valable à sa demande est celle qui va surgir à l'intérieur de son champ perceptuel. Dans mon rôle de facilitateur, je l'aide alors à regarder ce qui se passe en lui, à verbaliser et à exprimer ce qu'il vit au regard de sa propre question. Si, au cours d'une telle démarche, mon interlocuteur ne comprend pas l'attitude que j'adopte et s'étonne de ce que je ne lui donne pas de réponse, j'ai encore un choix à faire : je peux lui dire pourquoi j'agis ainsi et lui exposer brièvement les postulats qui me guident. Je me compromets alors en expliquant plus clairement que j'essaie d'exercer une influence sur lui à travers ma façon de faire. Je peux aussi choisir d'éluder la question, dans l'espoir que ma façon de faire sera une explication plus efficace du modèle utilisé que toute explication verbale, celle-ci risquant toujours de distraire l'autre du processus heuristique que j'essaie de privilégier. Quel que soit le choix que je fais quant à la modalité, mon but en tant que facilitateur est de faire comprendre à mon vis-à-vis que, sur le plan du contenu, c'est lui l'expert et non moi-même.

Le choix de m'en tenir au rôle de facilitateur face à quelqu'un qui s'adresse à moi illustre une façon typique de pratiquer l'approche centrée sur la personne. D'expert que j'étais aux yeux de celui qui venait me consulter, je deviens son allié dans une démarche heuristique. J'essaie de lui faire comprendre ce qui me rend aussi ignorant que lui dans les circonstances. Je n'exclus pas le recours à des informations que je peux avoir en tant qu'expert. Je peux citer des cas, des exemples ou des résultats de recherche, le cas échéant, mais jamais sans m'être assuré que de telles informations n'auront aucun effet structurant. Supposons, pour revenir à notre exemple, que je dispose d'un rapport de recherche révélant que 90 % des mariages conclus avant l'âge de vingt ans aboutissent à une séparation dans les cinq années qui suivent (ces données sont fictives). Je peux introduire cette information dans la recherche que nous faisons ensemble, mais je le ferai en prenant soin de reformuler le problème de l'adolescent qui est devant moi, de telle sorte que la question restera ouverte. Je peux dire, par exemple: «Le problème que tu vis actuellement et pour lequel tu me demandes de l'aide, c'est précisément de savoir les chances que toi tu as de te retrouver dans les 10 % de ceux qui réussissent et non dans les 90 % de ceux qui ne réussissent pas; là-dessus, je ne peux que t'aider à trouver ta propre réponse.» Le choix de demeurer facilitateur face à un interlocuteur suppose que la perception que l'on a de lui comme ayant les ressources pour répondre à sa propre question se maintienne. Sans cette condition, la technique prend le dessus et il est probable que, dans un tel cas, mon interlocuteur se sentira manipulé ou subtilement dirigé vers la solution que moi, en tant qu'expert, j'estime être la meilleure pour lui.

L'approche centrée sur la personne suppose, on l'a vu plusieurs fois dans les chapitres précédents, l'authenticité de la part de celui qui veut favoriser la croissance de son interlocuteur. Si je n'ai pas le courage, par exemple, d'opter pour la directivité lorsque c'est le seul choix adéquat, compte tenu du rôle que je joue ou de mes perceptions de l'interlocuteur, je sème la confusion et je fais obstacle au processus d'actualisation de celui que je prétends aider. Une question clé peut permettre de vérifier si je suis en mesure d'adopter une approche centrée sur la personne, question que je peux me poser à chaque instant de la relation: «Qui est l'expert?» L'expert ici est défini comme celui des deux interlocuteurs qui a le moins de chances de se tromper en faisant une évaluation ou en proposant une solution relativement au problème abordé. Si je m'exerce à formuler souvent cette question, je saurai rapidement si une approche centrée sur la personne m'est possible dans telle ou telle situation. Si je réponds: «C'est moi l'expert», inutile de persister dans une approche non structurante. Si je réponds honnêtement: «C'est lui», le choix d'une approche non structurante est possible. Dans l'exemple de l'adolescent, tout dépend de l'objet de la question. Qui de nous deux est l'expert pour prédire le comportement de l'adolescent moyen ? C'est moi, sans aucun doute, si j'ai fait des études dans ce domaine. Mais qui, de moi ou de l'adolescent qui me consulte, est l'expert pour prédire qu'il sera lui-même satisfait, le cas échéant, du mariage qu'il projette, qu'il fera partie des 10 % de mariages réussis ou des 90 % de mariages qui échouent ? Là-dessus, je peux répondre honnêtement que c'est lui, si je perçois concrètement le processus de prise en charge qui se déroule en lui à ce moment.

En résumé

L'examen des nombreux choix possibles dans le déroulement d'une relation d'aide permet de situer l'approche centrée sur la personne dans le contexte théorique dont elle est issue, en tenant compte des particularités qu'elle présente en dehors de la relation thérapeutique. La question à laquelle nous conduisent les ambiguïtés exposées plus haut est la suivante : est-il possible de transposer hors du contexte thérapeutique l'approche non structurante et les attitudes d'authenticité, de considération positive inconditionnelle et d'empathie qui en sont les conditions de base ? La question demeure ouverte. Certes, des éléments de la psychologie perceptuelle peuvent être transposés sans équivoque : les valeurs telles que le respect de la personne, la participation, la prise en charge, par exemple, sont des acquis certains. Mais pour ce qui est de transposer dans une relation d'aide de la vie quotidienne une approche non structurante, la réponse est plus difficile. Théoriquement, la réponse est oui ; il n'y a rien de contradictoire en soi. Mais le scénario un peu sommaire, imaginé à partir de la consultation de l'adolescent qui désire se marier, montre qu'en pratique la réponse n'est pas aussi simple.

CONCLUSION

La personne humaine est un objet d'étude bien particulier : on s'étudie soi-même. Les sciences humaines se diversifient et ne cessent d'accumuler de l'information sur tout ce qui touche de près ou de loin l'évolution de la personne, sa composition biochimique, son organisation matérielle et psychologique, son rapport avec son environnement physique et socioculturel, son histoire, ses productions, ses activités, etc. Sur le plan de la méthode, il existe deux attitudes de base : 1) considérer la personne comme tout autre objet d'étude scientifique, l'analyser de l'extérieur comme un animal complexe qu'on observe attentivement ; 2) mettre à contribution chaque personne en essayant de distinguer, dans sa subjectivité, ce qui la rend unique et ce qu'elle a en commun avec d'autres personnes. C'est la deuxième attitude que choisit la psychologie perceptuelle.

Ce livre a été conçu comme un guide de compréhension de la personne humaine accessible à tous. Tout en prenant en considération les principales théories dont dispose la psychologie scientifique, il n'en retient que ce qui peut permettre au lecteur de vérifier par lui-même si ce qu'on dit de la personne humaine en général l'aide à mieux se comprendre.

Il y a tellement de théories et de présupposés dans l'univers scientifique qu'on se doit de prendre position. La psychologie perceptuelle repose sur deux postulats. Le premier affirme qu'il existe en chaque personne une tendance à l'actualisation qui oriente positivement son maintien et son développement. Sur le plan psychologique, il n'y a rien à corriger dans le produit naturel ; il suffit de se mettre à l'écoute de l'organisme et d'écarter toute entrave à son évolution spontanée. Le second postulat est le primat de la subjectivité : le monde intérieur d'une personne – son champ perceptuel ou son champ de conscience – est le lieu où s'opère la transformation de l'énergie biologique en des comportements qui servent ou non au maintien et au développement de la personne. Les chapitres de ce livre ont réuni les éléments qui permettent de comprendre la personne humaine à partir de ce qu'elle vit consciemment.

Une clé maîtresse pour comprendre la personne humaine : l'émergence continuelle de besoins qui guident l'action. Ces besoins reflètent une structure motivationnelle qui résume l'histoire de chaque personne et qui conduit à la reconnaissance de besoins fondamentaux. Besoins physiques de toutes sortes et trois besoins d'ordre psychologique : besoin de considération, besoin de compétence et besoin de cohérence. Une personne en bonne santé accrédite ses besoins et cherche à les satisfaire en tenant compte des contraintes du milieu et des valeurs acquises dans ses rapports avec ses semblables.

Trois phénomènes permettent de reconnaître un processus de croissance : 1) une ouverture de la personne à tout ce qui surgit dans son champ perceptuel, soit les sensations de toutes sortes, les émotions, les pensées, les désirs, les projets, les intentions, etc. ; 2) une prise en charge, soit un sentiment positif associé à la capacité de dire « je », un sens de la responsabilité par rapport aux choix que l'on fait ; et 3) une action qui assure la satisfaction des besoins fondamentaux. À l'inverse, lorsqu'il y a blocage du processus naturel de croissance, un processus défensif empêche la manifestation de chacune de ces composantes. L'inhibition fait obstacle à l'ouverture à l'expérience. Un envahissement du champ perceptuel compromet la prise en charge. L'inertie rend impossible l'action qui permettrait à la personne de satisfaire ses besoins fondamentaux.

Toute personne humaine se construit dans un environnement qui influe sur son développement. L'indépendance n'existe pas ; l'autonomie est un juste milieu entre une dépendance extrême et un rejet de toutes les influences socioculturelles. Un environnement riche en authenticité, en considération positive inconditionnelle et en compréhension empathique fournit les meilleures conditions de croissance.

L'environnement est propice au développement de la personne dans la mesure où il donne à chacun la possibilité d'avoir des relations interpersonnelles de nature à faciliter la satisfaction de ses besoins fondamentaux. Les relations fonctionnelles permettent l'échange des biens et des informations nécessaires pour répondre aux besoins physiques. Les relations chaleureuses, comprenant différents mélanges de plaisir, d'affection et de liberté, sont propres à satisfaire le besoin de considération. Les relations coopératives réunissent deux personnes dans une recherche de satisfaction du besoin de compétence. Les relations heuristiques, enfin, donnent à la personne les moyens de répondre à son besoin de cohérence.

Se construire comme personne est l'œuvre d'une vie. Paradoxalement, malgré la somme considérable d'énergie que l'on met pour acquérir une attitude ou un style de vie donnés qui favorisent sa croissance, il faut sans cesse recommencer. La croissance d'une personne se fait dans le changement continuel. Plus les fondements sont solides, plus on s'habitue à se refaire : dégel, mouvement et regel marquent le cheminement d'une personne en devenir.

Un livre sur la personne humaine comporte un risque, celui d'isoler l'individu de la communauté dont il est tributaire. Une psychologie de la personne se doit d'être une psychosociologie. Une orientation centrée sur la personne ouvre la voie à l'intégration de la personne dans son contexte socioculturel. Elle pourrait conduire à la publication d'un nouveau livre sous le titre *La société humaine*.

Aujourd'hui, le nombre de pages écrites sur la psychologie de la personne et sur les relations interpersonnelles ne se compte plus, et de nouvelles sont produites avant que l'on puisse compléter l'inventaire. Plutôt que de chercher une synthèse impossible, chacun doit faire des choix. Nous avons choisi de suivre les sentiers de la psychologie perceptuelle pour présenter un modèle de compréhension de la personne humaine. Au terme du voyage, le lecteur dispose d'un plan qui lui permettra de poursuivre sa quête de sens concernant ce qu'il est et ce qu'il peut devenir.

BIBLIOGRAPHIE

AMERICAN PSYCHIATRIC ASSOCIATION (1996). *DSM-IV – Manuel diagnostique et statistique des troubles mentaux*, trad. par J.D. Guelfi et autres, Paris, Masson.

ANGERS, P. (1995). *La genèse d'une recherche sur l'art d'apprendre*, Montréal, Éditions Bellarmin.

ANGYAL, A. (1941). *Foundations for a Science of Personality*, New York, Commonwealth Fund.

ARGYRIS, C. (1980). *Inner Contradictions of Rigorous Research*, New York, Academic Press.

ATKINSON, J. W., et FEATHER, N. T. (dir.) [1966]. *A Theory of Achievement Motivation*, New York, Wiley.

BOHART, A. C., et GREENBERG, L. S. (dir.) [1997]. *EmpathyRreconsidered : New Directions in Psychotherapy*, Washington, American Psychological Association.

BOUTINET, J.-P. (1990). *Anthropologie du projet*, Paris, PUF.

BOUTINET, J.-P. (1993). *Psychologie des conduites à projet*, Paris, PUF.

BOZARTH, J. D., et BRODLEY, B. T. (1991). « Actualization : A Functional Concept in Client-Centered Therapy », dans A. Jones et R. Crandall (dir.), *Handbook of Self-actualization. A Special Issue of Journal of Social Behavior and Personality*, vol. 6, nº 5, p. 45-59.

BUBER, M. (1959). *La vie en dialogue*, Paris, Aubier.

BUCK, R. (1976). *Human Motivation and Emotion*, New York, John Wiley and Sons.

CABIÉ, M.-C., et ISEBAERT, L. (1997). *Pour une thérapie brève : le libre choix du patient comme éthique en psychothérapie*, Ramonville-Saint-Agne (Belgique), Éditions Érès.

CAMBIER, J., et VERESTICHEL, P. (1998). *Le cerveau réconcilié*, Paris, Masson.

CHABOT, D. (1991). *La sagesse du plaisir*, Montréal, Éditions Quebecor.

COMBS, A. W., et SNYGG, D. (1959). *Individual Behavior, a Perceptual Approach to Behavior*, New York, Harper and Row.

CORRAZÉ, J. (2002). *L'homosexualité*, Paris, PUF.

COTTONE, R. R. (1992). *Theories and Paradigms of Counseling and Psychotherapy*, Boston, Allyn and Bacon.

COTTRAUX, J. (1995). *Les thérapies comportementales et cognitives*, 2e éd., Paris, Masson.

DECI, E. L. (1975). *Intrinsic Motivation*, New York, Plenum Press.

DECI E. L., et RYAN, R. M. (1985). *Intrinsic Motivation and Self-Determination in Human Behavio*r, New York, Plenum Press.

DE GRÂCE, G. R., et JOSHI, R. (dir.) [1986]. *Les crises de la vie adulte*, Montréal, Décarie éditeur.

DELORME, A. (1982). *Psychologie de la perception*, Montréal, Éditions Études Vivantes.

DES MARCHAIS, J. E. (1996). *Apprendre à devenir médecin*, Sherbrooke, Université de Sherbrooke.

DORÉ, F. Y., et MERCIER, P. (1992). *Les fondements de l'apprentissage et de la cognition*, Montréal, Gaëtan Morin Éditeur.

DUNCAN, B. L., et MILLER, S. (2000). *Heroic Client, Doing Client-Centered, Outcome-Informed Therapy*, San Francisco, Jossey-Bass.

DURAND-DASSIER, J. (1971). *Structure et psychologie de la relation*, Paris, Éditions de l'Épi.

ERIKSON, E. H. (1959). *Enfance et société,* Neuchâtel, Delachaux et Niestlé.

FESTINGER, L. (1975). *Theory of Cognitive Dissonance,* Evanston, Row, Peterson.

FESTINGER, L., RIECKEN, H., et SCHACHTER, S. (1956). *When Prophecy Fails,* Minneapolis, University of Minnesota Press.

FRANKL, V. E. (1967). *Man's Search for Meaning,* New York, Washington Square Press.

FRANKL, V. E. (1969). *The Will to Meaning,* New York, A Plume Book from New American Library.

FREUD, S. (1916 [1961]). *Introduction à la psychanalyse,* Paris, Payot.

FROMM, E. (1968). *L'art d'aimer,* Paris, Éditions de l'Épi.

GENDLIN, E. (1962). *Experiencing and the Creation of Meaning,* New York, Macmillan.

GENDLIN, E. (1992). *Focusing : au centre de soi,* Montréal, Le Jour, Actualisation.

GOBLE, F. (1970). *The Third Force,* New York, Grossman Publishers.

GOLDSTEIN, K. (1951). *La structure de l'organisme,* Paris, Gallimard.

HARTER, S. (1978). « Effectance Motivation Reconsidered : Toward a Developmental Model », *Human Development,* vol. 1, p. 34-64.

HEIDER, F. (1958). *The Psychology of Interpersonal Relation,* New York, Wiley.

HORVATH, A. O., et GREENBERG, L. S. (dir.) [1994]. *The Working Alliance : Theory, Research and Practice,* New York, Wiley.

KLUCKHOHN, C., et MURRAY, H. (1956). « Personality Formation : The Determinants », dans C. Kluckhohn et H. Murray (dir.), *Personality in Nature, Society and Culture,* New York, Alfred Knopf, p. 53-67.

KÜBLER-ROSS, E. (1984). *Vivre avec la mort et les mourants,* Genève, Éditions du Tricorne.

LABORIT, H. (1974). *La nouvelle grille*, Paris, Robert Laffont.

LE BOTERF, G. (1999). *Compétence et navigation professionnelle*, Paris, Éditions d'Organisation.

LECOMTE, C., et CASTONGUAY, L.-G. (1987). *Rapprochement et intégration en psychothérapie : psychanalyse, behaviorisme et humanisme*, Montréal, Gaëtan Morin Éditeur.

L'ÉCUYER, R. (1994). *Le développement du concept de soi, de l'enfance à la vieillesse*, Montréal, Presses de l'Université de Montréal.

LEWIN, K. (1936). « Psychology of Success and Failure », *Occupations*, vol. 14, p. 926-930.

LEWIN, K. (1959). *Psychologie dynamique*, Paris, PUF.

LIETAER, G., ROMBAUTS, J., et VAN BALEN, R. (dir.) [1990]. *Client-centered and Experiential Psychotherapy in the Nineties*, Leuven, Leuven University Press.

LINTON, R. (1965). *Le fondement culturel de la personnalité*, Paris, Dunod.

MCCLELLAND, D. C. (1953). *The Achievement Motive*, New York, Appleton-Century-Crofts.

MCCLELLAND, D. C. (1975). *Power, the Inner Experience*, New York, Irvington Publisher.

MASLOW, A. H. (1954 [1970]). *Motivation and Personality*, New York, Harper and Brothers.

MASLOW, A. H. (1972). *Vers une psychologie de l'être*, Paris, Fayard.

MASTERPASQUA, F., et PERNA, P. A. (dir.) [1997]. *The Psychological Meaning of Chaos*, Washington, American Psychological Association.

MONBOURQUETTE, J. (1994). *Grandir. Aimer, perdre et grandir*, Ottawa, Novalis.

MORIN, E. (1990). *Introduction à la pensée complexe*, Paris, ESF.

MORIN, P.-C., et BOUCHARD, S. (1992). *Introduction aux théories de la personnalité*, Montréal, Gaëtan Morin Éditeur.

MURRAY, H. A. (1938). *Explorations in Personality,* New York, John and Sons.

NEIMEYER, R. A., et MAHONEY, M. J. (dir.) [1995] *Constructivism in Psychotherapy,* Washington, American Psychological Association.

NORCROSS, J. C., et GOLDFRIED, M. R. (dir.) [1998] *Psychothérapie intégrative,* Paris, Desclée de Brouwer.

NUTTIN, J. (1980). *Théorie de la motivation humaine,* Paris, PUF.

PAGÈS, M. (1965). *L'orientation non-directive en psychothérapie et en psychologie sociale,* Paris, Dunod.

PELLETIER, L. G., et VALLERAND, R. J. (1993). « Une perspective humaniste de la motivation : les théories de la compétence et de l'autodétermination », dans R. Vallerand et E. E. Thill (dir.), *Introduction à la psychologie de la motivation,* Laval, Éditions Études Vivantes, chap. VI.

PERETTI, A. de (1974). *Pensée et vérité de Carl Rogers,* Toulouse, Privat.

PIAGET, J. (1936). *La naissance de l'intelligence,* Neuchâtel, Delachaux et Niestlé.

PROCHASKA, J. O., NORCROSS, J. C., et DICLEMENTE, C. C. (1994). *Changing for Good,* New York, Avon Books.

ROGERS, C. R. (1942). *Counseling and Psychotherapy,* Boston, Houghton Mifflin.

ROGERS, C. R. (1945). « The Nondirective Method as a Technique for Social Research », *American Journal of Sociology.* vol. 50, p. 279-283.

ROGERS, C. R. (1951). *Client Centered Therapy : Its Current Practice,* Boston, Houghton Mifflin.

ROGERS, C. R. (1952). « Communication : Its Blocking and Facilitation », *Northwestern University Information,* vol. 20, p. 9-15.

ROGERS, C. R. (1968 [1976]). *Le développement de la personne,* Paris, Dunod.

ROGERS, C. R. (1979). *Un manifeste personnaliste*, Paris, Dunod.

ROGERS, C. R., et KINGET, G. M. (1973). *Psychothérapie et relations humaines*, 6e éd., vol. I : *Exposé général*, Louvain, Publications universitaires de Louvain.

ROSEN H., et KUEHLWEIN, K. T. (dir.) [1996]. *Constructing Realities ; Meaning-Making Perspectives for Psychotherapists*, San Francisco, Jossey-Bass.

ST-ARNAUD, Y. (1978). *J'aime : essai sur l'expérience d'aimer*, Montréal, Les Éditions de l'Homme.

ST-ARNAUD, Y. (1979). *Psychologie, modèle systémique*, Montréal, Presses de l'Université de Montréal.

ST-ARNAUD, Y. (1982). *La personne qui s'actualise*, Montréal, Gaëtan Morin Éditeur.

ST-ARNAUD, Y. (1983). *Devenir autonome*, Montréal, Le Jour, éditeur.

ST-ARNAUD, Y. (1996). *S'actualiser par des choix éclairés et une action efficace*, Montréal, Gaëtan Morin Éditeur

ST-ARNAUD, Y. (2001). *Relation d'aide et psychothérapie ; le changement personnel assisté*, Montréal, Gaëtan Morin Éditeur.

ST-ARNAUD, Y. (2003). *L'interaction professionnelle : efficacité et coopération*, 2e éd., Montréal, Presses de l'Université de Montréal.

ST-ARNAUD, Y. (2004). *Petit code de la communication*, Montréal, Les Éditions de l'Homme.

SCHÖN, D. A. (1994). *Le praticien réflexif. À la recherche du savoir caché dans l'agir professionnel*, trad. par J. Heynemand et D. Gagnon, Montréal, Éditions Logiques.

SHEELY, G. (1987). *Passages*, Boucherville (Québec), Éditions de Mortagne.

SKINNER, B. F. (1972). *Par-delà la liberté et la dignité*, Montréal, Éditions Hurtubise ; Paris, Éditions Laffont.

SPITZ, R. A. (1945). *Hospitalism, The Psychoanalysis Study of the Child*, New York, International University Press.

TESSIER, R., et TELLIER, Y. (dir.) [1990 à 1992]. *Changement planifié et développement des organisations,* Québec, Presses de l'Université du Québec, 8 tomes.

VALLERAND, R. J. (dir.) [1994]. *Les fondements de la psychologie sociale,* Montréal, Gaëtan Morin Éditeur.

VALLERAND, R. J., et THILL, E. E. (dir.) [1993]. *Introduction à la psychologie de la motivation,* Laval, Éditions Études Vivantes.

VARELA, F. (1989). *Connaître : les sciences cognitives,* Paris, Seuil.

VARELA, F., THOMPSON, E., et ROSCH E. (1993). *L'inscription corporelle de l'esprit,* Paris, Seuil.

WANN, T. W. (dir.) [1964]. *Behaviorism and Phenomenology,* Chicago, University of Chicago Press.

WATSON, J. B. (1926). *The Ways of Behaviorism,* New York, Harper.

WATZLAWICK, P. (dir.) [1988]. *L'invention de la réalité : contributions au constructivisme,* Paris, Seuil.

WHITE, R. W. (1959). « Motivation Reconsidered : The Concept of Competence », *Psychological Review,* vol. 66, p. 297-333.

WOLMAN, B. B. (1968). *The Unconscious Mind,* Englewood Cliffs, Prentice-Hall and Row.

TABLE DES MATIÈRES